Aider sans nuire

Aider sans nuire

Suzanne Lamarre

médecin-psychiatre

Primum non nocere...
D'abord ne pas nuire...

AIDER SANS NUIRE est le quatrième titre publié par
les Éditions Lescop.

Graphisme : Gianni Caccia

Mise en pages : Gilbert Gervais

Révision : Line Leblanc et Pascale Germain

Coordination : François Lescop

© Éditions Lescop

Tous droits réservés.

Dépôt légal : 1998
Bibliothèque nationale du Québec
Bibliothèque nationale du Canada

Diffusion et distribution : Éditions Lescop
5039, rue Saint-Urbain
Montréal (Québec) H2T 2W4
Téléphone : (514) 277-3808
Télécopieur : (514) 277-9390
lescop@microtec.net

Données de catalogage avant publication (Canada)
Lamarre, Suzanne, 1942-
Aider sans nuire

Comprend des références bibliographiques.
ISBN 2-9804832-3-0
1. Intervention en situation de crise (Psychiatrie). 2. Urgences en
psychiatrie. 3. Comportement d'aide. 4. Intervention en situation de
crise (Psychiatrie) — Cas, Études de. I. Titre.
RC480.6.L35 1998   616.89'025   C98-900925-4

Table des matières

Préface xiii

Introduction xv

1. Les deux grands ensembles relationnels 1

1.1 Les quatre éléments du protectionnisme 4

1.2 Identification de l'ensemble relationnel 8

Tableau 1 12

1.3 Découverte de l'ensemble protectionniste 13

1.4 Variations sur le thème protecteur/protégé 16

1.5 Règle du respect de l'autonomie 36

1.6 Double standard du protectionnisme 37

1.7 Mentalité et changement 39

1.8 Problèmes physiques ou psychiques ? 50

1.9 Gestion paternaliste 52

1.10 Compréhension du transfert 56

1.11 Changement de jauge 58

Tableau 2 60

2. Théories de la communication et des relations . . . 65

2.1 Judiciarisation et culture protectionniste 67

2.2 À la découverte du modèle systémique 69

2.3 Application quotidienne du modèle systémique . . . 72

2.4 De la première à la deuxième cybernétique 77

2.5 Modélisation systémique et changement 79

2.6 Le tiers inclus 83

2.7 L'épistémologie batesonienne et l'autonomie 85
2.8 Les axiomes de la communication 89
2.9 Déni et rejet dans les relations pathogènes 97

3. Pratique de l'urgentologue général 101
3.1 Repères subjectifs 103
3.2 Les quatre zones d'insécurité 109
3.2.1   Insécurité physique 110
3.2.2   Insécurité affective 122
3.2.3   Insécurité sociale 132
3.2.4   Insécurité culturelle 134
3.3 Contextes de gestion de problèmes 134
3.4 Transformation du cadre relationnel 145
3.5 Mise en place de la coopération 149
3.6 Principes de la coopération 155

Conclusion 159

Annexe 163

Notes   167

Tranches de vie

1. Gaëlle et ses devoirs 10
2. L'enfant protégé du parent abusé 19
3. Le fils protecteur 21
4. Un cas de violence conjugale 24
5. Marie et son mari jaloux 26
6. Henriette la superfemme 29
7. Jeanne la superintuitive 31
8. Quand l'un des parents est absent 33
9. La fille malade abusive 41
10. Le thérapeute menacé 43
11. La patiente protégée, contrôlée, abusée 45
12. Bertrande, la victime silencieuse 116
13. Le travailleur incompris qui se
    maintient malade 120
14. Daniel, le caractériel ou le phobique 138
15. Denis et sa première psychose 140
16. Difficultés interpersonnelles 144

Préface

Plus de cinquante ans d'une vie bien remplie et près de trente ans d'une pratique en psychiatrie, voilà ce que Suzanne Lamarre nous fait partager.

Dans un style simple et direct, avec une assurance qui vient de sa grande expérience des relations avec les personnes, qu'elles aient ou non des problèmes de santé mentale, Suzanne Lamarre nous explique les valeurs qu'elle a tenté de mettre de l'avant autant dans ses interventions thérapeutiques auprès des patients et de leurs familles que dans ses relations avec ses proches, dans sa famille comme dans son milieu de travail.

Au-delà du respect pour l'individu et de la confiance qu'il faut avoir quant à ses capacités d'évoluer, au-delà de l'application des connaissances du domaine de la psychiatrie, c'est dans le développement des relations interpersonnelles basées sur le partenariat avec l'autre et ses proches que les interventions proposées trouvent toutes leur signification.

Qu'on soit médecin, infirmière ou autre professionnel de la santé, conjoint ou ami d'une personne aux prises avec une maladie mentale, ou tout simplement une personne vivant des difficultés avec ses proches, les réflexions de ce livre permettront de mieux comprendre la dynamique des relations avec l'autre, et surtout de l'aider sans lui nuire.

JOËLLE LESCOP, MD*

---

* Joëlle Lescop est pédiatre. Elle a été directrice du département de Médecine familiale de l'Université de Montréal. Elle est actuellement secrétaire générale du Collège des médecins du Québec.

Introduction

Aider sans nuire est un livre qui s'adresse à tous ceux et celles qui auront, un jour ou l'autre, à intervenir dans une situation d'urgence donnée afin d'aider une ou des personnes en difficulté.

Nous appartenons tous à la grande chaîne humaine : nos faits et gestes peuvent avoir pour autrui des conséquences soit déstabilisantes, soit réconfortantes.

Je donne ici le nom d'urgentologue à toute personne interpellée par son entourage afin d'aider à régler un problème dont la solution n'a pas encore été trouvée. Il peut s'agir de l'infirmière ou du psychiatre dans la salle d'urgence, mais aussi du père, de la mère, du frère, de la sœur, de l'ami à qui un proche fait savoir qu'il a besoin d'aide, même s'il n'en fait pas la demande formelle. Car l'urgentologue ne peut pas ne pas intervenir : son inaction même sera perçue comme un geste, et pourra avoir des conséquences quant à la non-résolution du problème.

En tant que psychiatre-urgentologue, je n'ai jamais cru possible d'expliquer les comportements erratiques de certaines personnes uniquement par la maladie mentale ou l'analyse de leur caractère. Qui plus est, mes connaissances de la pathologie et des traitements psychiatriques ne m'ont que rarement permis de créer de vrais changements chez mes patients, étant donné qu'il n'existe guère de traitements psychiatriques fondés sur la recherche scientifique !

J'ai cependant réalisé très tôt, d'une part, l'importance de respecter l'autonomie de chacun et, d'autre part, la capacité qu'ils ont tous, en tant qu'êtres responsables, de se doter d'un contexte de vie adéquat.

Il est malheureusement trop fréquent qu'un urgentologue veuille imposer une solution *évidente* à la personne en détresse, plutôt que de donner priorité à l'autonomie de celle-ci ainsi qu'à ses choix responsables.

Plutôt que de m'attarder à l'analyse hors contexte des individus, j'aime, comme urgentologue, me comparer au cinéaste qui, conscient de son influence sur le scénario, encourage les acteurs à modifier celui-ci à leur avantage...

Au cours de ma pratique, j'ai pu observer deux grands ensembles de comportements humains qui se révèlent lors des crises : celui de la victimisation, où l'on fait fi du respect de l'autonomie des personnes en difficulté, et celui de la coopération, où tout est mis en œuvre afin de respecter l'autonomie de chacun.

Dans le premier chapitre, nous verrons, à l'aide d'exemples concrets, quelles sont les caractéristiques de ces deux ensembles comportementaux; dans le deuxième, plus théorique, nous aborderons les principales théories de la communication et des relations, ce qui nous permettra de bien saisir les règles par lesquelles les rapports humains se rééquilibrent et se transforment.

Enfin, dans le troisième chapitre, nous décrirons quelques-uns des repères subjectifs qui permettent de reconnaître dans quel ensemble de comportements évoluent les divers acteurs d'une problématique donnée, quels sont les principes des gens autonomes, et comment éviter la victimisation en travaillant dans la coopération.

1

Les deux grands
ensembles relationnels

Précisons ce que nous entendons par *ensemble* : c'est un groupe de personnes qui partagent les mêmes valeurs et réagissent aux comportements de l'entourage de façon *normale*, c'est-à-dire selon les attentes du milieu. Étant donné que chacun désire être approuvé dans ses échanges avec les autres, chacun pourra réagir «correctement» en se fiant aux valeurs du milieu, même lorsqu'une situation nouvelle se présente. C'est ce qu'on pourrait appeler la *social* ou *family correctness*.

Le *politiquement correct* est une pratique linguistique qui consiste à vouloir nommer les différences sans faire d'exclus. On n'utilise plus le mot *nègre*, par exemple, mais *afro-américain*. On ne parle plus de malades mentaux mais de personnes ayant des problèmes de santé mentale. On ne dit plus sourd mais malentendant.

Par le langage, on veut faire en sorte que tous se sentent acceptés et intégrés dans la grande communauté humaine et qu'on puisse parler des différences sans blesser personne. On essaie de nommer les problèmes mais on a souvent l'impression que cette pratique ne fait que les rendre encore plus difficiles à aborder.

J'utilise l'expression *familialement correct,* pour montrer que ces efforts linguistiques existent depuis longtemps dans les petits groupes comme les familles pour protéger ce qui ne doit pas être mentionné, pour contourner les secrets familiaux.

L'émission télévisée *La petite vie* reflète bien la tendance de cette famille et de bien d'autres, de vouloir éviter les problèmes épineux ou de camoufler les secrets dans un langage opaque qui se veut conforme aux normes et aux attentes du groupe. On parvient ainsi à éviter les éclatements relationnels mais on n'élimine ni les tensions ni les problèmes, bien au contraire.

Ce serait briser la norme familiale et créer un autre problème que de parler de cette norme et, pourtant, c'est bien elle qui rend impossible la résolution des problèmes et qui maintient ce langage *familialement correct*.

Il suffit d'observer l'un des membres d'un groupe pour présumer de l'ensemble auquel il appartient. Dans les ensembles où l'ultime moyen de rééquilibrage est l'intimidation ou la victimisation, les rôles se complètent : les voyeurs ont leurs exhibitionnistes ; les passifs, leurs agressifs ; les soumis, leurs révoltés ; les contrôleurs, leurs contrôlés ; les protecteurs, leurs protégés.

Les ensembles où existe la coopération ne donnent pas aux acteurs ces caractères typés ; dans leurs moments d'impuissance, ceux-ci cherchent à partager les difficultés, sans contrôler les autres ni en abuser.

Dans les familles, comme dans les organisations plus complexes, on retrouve deux grands modèles ou ensembles : le modèle autoritaire (l'ensemble de la victimisation) et le modèle des gens autonomes, vulnérables et interdépendants (l'ensemble de la coopération).

Les moyens de contrôle des protecteurs, qui se veulent bien intentionnés, peuvent miner tout sentiment d'intégrité d'une personne bien que, vu de l'extérieur, il n'en paraisse rien. Cette autre forme de victimisation est rarement prise en compte dans les cours de justice, en raison de son manque d'évidence objective. C'est cette victimisation interpersonnelle qui se manifeste dans les relations d'aide, et dont il sera question dans ce livre.

1.1 Les quatre éléments du protectionnisme

Pour nous permettre de reconnaître cet ensemble, d'en parler avec d'autres et de le modifier, j'ai identifié quatre éléments constituant ce que j'ai nommé le *protectionnisme*.

• Le duo protecteur/protégé

Chacun des rôles peut être rempli par une seule personne ou un groupe de personnes. Le protecteur, en position supérieure et dominante, se définit comme l'agent responsable du protégé; ce qui est confirmé par le protégé et tout son entourage. Le protégé, forcé de prendre la position inférieure, oscille entre la soumission et l'opposition à son protecteur. Il s'identifie progressivement à son statut de protégé, sans qu'il y ait eu d'entente claire au préalable.

À la demande du protecteur ou du protégé, de nouveaux protecteurs, thérapeutes ou amis qui deviennent les agents des uns et des autres, se joignent au duo initial pour tenter de sauver la situation. Les acteurs principaux se «suridentifient» à leurs rôles respectifs et développent des déformations de caractère qui les isolent davantage et les renforcent dans le maintien de leurs valeurs.

• La relation *comme si*

L'échange d'informations se fait dans un contexte relationnel *comme si*. On fait *comme si* tout allait bien. Le contenu de cette relation est principalement constitué de preuves de bonnes intentions et de discours sur «qui a tort et qui a raison». C'est sur ce rapport *comme si*, dans un contexte de double standard moral, que doit intervenir l'urgentologue lors des crises.

Par « double standard moral » nous entendons ici les attentes différentes que nous avons à l'égard des personnes selon que nous les jugeons responsables ou non de leurs décisions. Nous nous attendons à ce qu'une personne responsable assume les conséquences de ses gestes. Nous ne pensons pas à blâmer une personne responsable de ses erreurs mais à lui offrir notre aide dans un contexte d'interdépendance. Ce n'est pas par pitié que nous agissons ainsi mais par une entente tacite de *renvoi d'ascenseur* entre personnes du même réseau.

Au contraire, lorsqu'on juge qu'une personne est inadéquate, irresponsable, on l'intimide pour la faire agir selon notre idée afin de diminuer la lourdeur de notre tâche. On prend, sans le dire, la responsabilité de ses gestes. On peut la blâmer pour l'intimider afin qu'elle ne recommence pas la prochaine fois mais on ne remet pas en question le processus de déresponsabilisation dans lequel nous nous ancrons.

Dans la relation *comme si*, on n'observe plus de *je* dans les conversations. Ignorant leur autonomie respective, les protagonistes veulent imposer des solutions en faisant valoir leurs bonnes intentions. La stratégie du protecteur consiste à laisser croire au protégé qu'il le croit apte à prendre des décisions. Mais ce faisant, il met en œuvre diverses stratégies pour l'amener à décider ce que lui, le protecteur, juge approprié pour son bien. Le protégé, quant à lui, tente d'échapper au contrôle de son protecteur, tout en essayant de le contrôler à sa façon.

C'est Lyman Wynne [1] qui, le premier, a décrit ce halo qui entoure les familles dont l'un des membres est schizophrène. On fait *comme si* tout allait bien, que chacun décidait pour soi, même si c'est loin d'être le cas. Il a appelé ce modèle de relation la *pseudomutualité*. Avec les années, on a pu observer que cette pseudomutualité faisait partie de plusieurs relations pathogènes, sans que la maladie suscitée ne soit la schizophrénie. Pour ma part, je l'ai vu dans toutes les relations protectionnistes.

• **Les éclatements relationnels**

Les coups d'éclat des protagonistes (insubordinations, colères, manques de respect, etc.) donnent lieu au rejet du protégé, apparemment définitif, ou à des menaces d'abandon, ce qui amène l'ajout de nouveaux protecteurs.

Les éclatements laissent croire que cette relation pénible tire à sa fin, mais il n'en est rien. Ils ne font qu'activer les manœuvres de contrôle et augmenter le nombre d'acteurs. On oscille entre la surprotection et le rejet chez les protagonistes qui aspirent à s'en remettre à un autre sauveur. Mais, par trop confiants, leurs multiples déceptions à l'égard de nouveaux protecteurs les amènent à s'en méfier systématiquement et à les contrôler aussi, tout en faisant *comme si* ils leur faisaient confiance...

• **Les moyens de maintien**

Les moyens de maintien de la relation protecteur/protégé résident dans le blâme réciproque, qui suscite honte et culpabilité ainsi que dans la disqualification.

Dans la deuxième partie, nous décrivons la disqualification comme une forme de déni dans les relations interpersonnelles. Je ne voudrais pas confondre le lecteur avec une définition aussi simple de la disqualification, alors que les cliniciens et les chercheurs de l'École Palo Alto, dont Carlos E. Sluski [2], en ont fait l'objet d'études approfondies.

Dans ce texte qui traite de l'autonomie, j'utilise le terme *disqualification* pour décrire le message transmis de l'un à l'autre quant à la non-reconnaissance de l'autonomie de l'autre.

La personne en position dominante ne reconnaît pas, chez celle qui se trouve en position inférieure, ses capacités de sentir, de penser et d'agir par elle-même ; elle ne lui donne même pas la chance de s'opposer à une telle négation puisqu'elle ne nomme pas ce message. La chose va de soi ; on ne discute pas d'une évidence, on agit en conséquence.

Le protégé non plus ne sait pas nommer la disqualification ; il apprend à réagir aux autres en irresponsable. Il généralise. Les personnes qui le rencontrent pour la première fois doivent défaire cette généralisation avec les gens de son entourage. C'est ce que j'appelle dénouer le protectionnisme. Autrement, ils se mettront à disqualifier le sujet qui, par ses comportements, les incite à le faire.

Des demandes de preuves de confiance, d'amour ou d'intérêt pour l'autre, sont d'ordinaire des signes que la disqualification est installée. Afin de défaire la disqualification, il faut autre chose que ces preuves, comme on le constatera à la lecture de ce livre.

L'autonomie de la personne, sa responsabilité et sa participation à la transformation de son milieu vont ensemble. L'autonomie nous amène à définir les comportements violents comme des actes de non-respect de l'autonomie de l'autre. Le terme *autonomie* a été surtout utilisé ces dernières années dans l'expression *en perte d'autonomie* pour décrire une personne vieillissante ayant besoin d'aide à cause de ses handicaps physiques et occasionnellement psychiques. On devrait plutôt parler d'une personne en *perte d'intégrité* lorsque, en raison de ses handicaps, on se met à la traiter en protégée, en faisant fi de son autonomie.

Le protégé, de plus en plus honteux, recherche une image favorable exclusivement auprès de ses protecteurs, dont il voudrait éviter la disqualification; mais il sent en même temps leur mépris et leur pitié.

Protecteurs et protégés se sentent coupables des sentiments peu flatteurs qu'ils ont les uns envers les autres. Cela n'empêche pas les protecteurs de se sentir indispensables à leurs protégés, eux-mêmes dépendants de leurs protecteurs.

Protecteurs et protégés se disqualifient les uns les autres dans leur compétence à sentir, à penser et à agir. Ils intensifient leur contrôle sur l'autre, ne voulant plus rien laisser au hasard. Il n'y a plus d'échanges sur les différences.

Tous deviennent sourds à l'autre sachant qu'il ne fait que se répéter. Ou l'on crie, ou l'on se tait, mais on ne se parle plus pour «s'informer» l'un de l'autre.

1.2 Identification de l'ensemble relationnel

Lorsqu'il intervient dans un système relationnel protectionniste, il est possible à l'urgentologue de reconnaître le protecteur : c'est celui qui tente de maintenir l'ensemble de victimisation en faisant valoir les bonnes intentions de ses moyens d'intervention salvateurs, lesquels peuvent sembler clairement abusifs et destructeurs aux yeux de l'observateur.

L'escalade, du rôle de protecteur à celui de contrôleur, puis à celui d'abuseur, se manifeste dans les échanges quotidiens non verbaux entre les deux parties. Par habitude et non après entente délibérée, chacun s'identifie à son rôle et se maintient dans un cadre protectionniste de plus en plus rigide, au fur et à mesure que la tension s'accumule. Les protagonistes en viennent à être caricaturaux.

Il n'est pas toujours facile, tant pour les parents que les éducateurs et les thérapeutes, de bien faire la différence entre le protecteur-contrôleur qui s'enlise dans des comportements destructeurs, et l'adulte en autorité, responsable de veiller au maintien de l'ordre dans sa famille ou dans son groupe.

Il est tout naturel pour un parent d'adopter le rôle de protecteur vis-à-vis son petit — c'est une question d'instinct. Mais si, dans l'accomplissement de ses devoirs parentaux, il oublie sa propre autonomie ou celle de son petit, il risque d'activer le processus de victimisation. Il lui faudra donc corriger, selon le cas, l'une ou l'autre de ces attitudes qui créent problème : être à l'écoute des désirs de son enfant sans tenir compte de ses responsabilités parentales à long terme, ou alors, faire son devoir de parent en ignorant ses propres besoins d'adulte.

Il lui faut instaurer un contexte de vie pour personnes autonomes de tous âges, en considération des diverses dimensions personnelles et organisationnelles qui, par ailleurs, évoluent dans le temps.

Dans les milieux de la santé, on utilise le terme d'*empathie* pour décrire ce processus d'écoute simultanée de l'autre et de soi, à distinguer de la *sympathie* (sensibilité à la douleur de l'autre) qui peut faire de celui qui écoute l'esclave du souffrant. Il est impossible de ne pas être touché par la douleur ou les dangers qui guettent son enfant, mais il faut se garder de vouloir agir et penser à sa place. Un court exemple permettra d'illustrer ce propos.

Tranche de vie 1

Gaëlle et ses devoirs

La mère d'une fillette de huit ans avait pris l'habitude d'aider celle-ci à faire ses devoirs. Un soir, l'enfant se dit trop fatiguée pour travailler, mais pas trop pour s'amuser au *Nintendo*. Le fait est que la mère ne peut pas agir à la place de sa fille, ni la forcer à agir. Le contexte est pourtant favorable aux études : le téléviseur est fermé et la mère s'intéresse au travail de sa fille. Elle informe alors Gaëlle de son intention d'écrire à l'institutrice pour lui dire : « Ma fille, Gaëlle, n'a malheureusement pas le goût de faire ses devoirs, ce soir. »

Que faire de plus en tant que parent ? Dans ce cas précis, Gaëlle n'a plus à s'opposer ni à se soumettre à sa mère, comme c'est l'habitude entre elles, mais à assumer la responsabilité de son état d'âme ou de son geste. La mère n'a pas non plus à disqualifier ce que ressent sa fille, mais son devoir en est un de supervision et de rappel des règles et de l'esprit des règles.

On peut imaginer la suite : Gaëlle a préféré faire ses devoirs, plutôt que d'avoir à expliquer à sa maîtresse pourquoi elle n'en avait pas eu le goût. Un parent efficace est celui qui devient un admirateur inconditionnel de la capacité de son enfant à gérer ses affaires, et ce, dans un sentiment de liberté pour les deux parties. On ne peut pas faire autrement que d'admirer un enfant qui a décidé d'étudier, parce qu'on sait qu'on ne peut pas le forcer à le faire.

Pourquoi bien des parents sont-ils incapables d'agir aussi efficacement que la mère de Gaëlle?

Dans la famille donnée en exemple, un changement important était survenu dans les mois précédant cet épisode. Les parents s'étaient entendus pour que chacun règle ses problèmes avec Gaëlle directement. C'en était fini pour l'enfant d'aller se plaindre auprès de l'autre, dans l'espoir de faire agir selon son entendement le premier parent consulté. Si l'un d'eux se sentait abusé, les conversations se faisaient à trois pour chercher de nouvelles règles. Si un consensus était impossible à obtenir, la famille avait convenu de consulter une personne étrangère afin d'obtenir conseil...

Dans un tel contexte, il est rare que le conseiller soit consulté, car il est déjà présent dans la mentalité de la famille. Cette notion de mentalité devient primordiale, tant dans la gestion des conflits que dans le maintien de l'équilibre et la transformation des ensembles.

Tableau 1

Le protectionnisme est un ensemble de victimisation *familialement correcte.*

• **Le duo**

Protecteur : agent du protégé ; il se donne le droit
de décider et d'agir à la place du protégé ; il se croit
indispensable à la survie de celui-ci.

Protégé : personne judiciairement apte à décider
par elle-même ; il donne à son protecteur, par ses
comportements non verbaux, le pouvoir de décider et
d'agir à sa place.

• **Le contexte relationnel** *comme si,* qui favorise
la stagnation des personnes dans des rapports de
pseudomutualité.

• **Les éclatements fréquents** de la relation, avec
expulsion apparente du protégé ; non-respect de
l'autonomie de l'autre ; recherche de *contrôleurs
thérapeutiques.*

• **Les moyens de maintien** de la relation : blâme
suscitant honte et culpabilité ainsi que disqualification.

1.3 Découverte de l'ensemble protectionniste

Au début des années quatre-vingt, alors que je travaillais dans la banlieue sud de Montréal, il m'est apparu évident que les rapports troubles qui existaient entre le patient et son entourage, familial ou thérapeutique, rendaient les traitements interminables. Dans la majorité des cas, l'entourage des patients se manifestait surtout au moment de prendre des décisions thérapeutiques — le congé, l'administration d'un médicament ou l'arrêt du traitement. La famille m'autorisait, en quelque sorte, à parler avec son membre malade, à établir avec lui une *belle relation thérapeutique*, mais sans qu'aucune décision majeure ne soit prise sans elle.

L'équipe traitante avait tendance à se sentir contrôlée par la famille : ses plans de traitement — et leurs piètres résultats — étaient remis en cause. Le personnel avait donc décidé de s'opposer à cette ingérence en soutenant le patient dans ses décisions, selon les normes du *thérapeutiquement correct* : c'était le patient qui décidait et non la famille. Mais il arrivait souvent que le patient nous joue des tours, comme la famille l'avait prédit.

Au moment d'une crise, il pouvait manifester son mécontentement, refuser tout traitement de la part d'une équipe par trop contrôlante ou même tenter de se suicider. Résultat : la famille et les thérapeutes se blâmaient les uns les autres.

Certains thérapeutes, coincés entre le patient et sa famille, cherchaient à protéger le patient d'abord. On restreignait le nombre de visites familiales ou on recommandait l'abolition de tout contact avec la famille pour un temps prolongé, sous prétexte de couper le cordon ombilical.

C'était l'époque des séminaires sur les familles dysfonc-tionnelles : il fallait sauver nos patients de leur famille ! Si celle-ci refusait d'entrer en thérapie, on l'encourageait à joindre les regroupements des parents et amis du malade mental. Mais, au fond, quel paradoxe que de «traiter» une famille, ou de l'orienter vers une autre ressource, plutôt que de tenter de faire en sorte que ses membres apprennent à fonctionner en respectant l'autonomie et la vulnérabilité de chacun !

Encore eût-il fallu que le thérapeute donnât l'exemple ! En réalité, notre message non verbal était clair : la santé et la maladie du patient étaient devenues notre affaire. Alors, non seulement le traitement n'en finissait plus, mais il n'était jamais satisfaisant, aux yeux des familles comme des thérapeutes, mais pour des raisons différentes.

La maladie devait se soigner par des traitements, croyait la famille. Quant aux thérapeutes, aveuglés par les aspects pathologiques du malade et de son entourage, ils ignoraient l'ensemble de victimisation dans lequel tous, y compris eux-mêmes, évoluaient. Ils persistaient à traiter ou à vouloir le faire alors qu'en ce faisant, ils s'enlisaient de plus en plus dans les méandres du protectionnisme.

Quel que soit le problème à survenir, la famille était persuadée que la maladie était en cause ; elle exigeait par conséquent des traitements plus intensifs et des résultats immédiats, infaillibles, il va de soi ! En fait, elle avait bien saisi que la maladie d'un des leurs n'était plus de son ressort. C'était dorénavant l'affaire des thérapeutes.

Le processus de victimisation était bel et bien enclenché : les intervenants blâmaient les planificateurs et les administrateurs pour le manque de moyens ; ceux-ci doutaient du réalisme des cliniciens qui, à leur tour, évaluaient la souffrance des patients en vue d'accorder leurs services aux «vrais» souffrants, ce qui exigeait d'autres disqualifications. C'était une roue sans fin, activée par la méfiance et les menaces, sous couvert de gentillesse et de dévouement.

Malgré tout, les proches du patient, vraiment épuisés, souffraient plus que quiconque de cette situation difficile. Ils étaient surtout déchirés entre leur désir de tout faire pour un des leurs et la nécessité de forcer la porte de l'hôpital en mimant ou en réalisant un abandon.

En tant que psychiatre, je ne voyais pas en quoi mes traitements amélioraient les choses, vu le contexte de victimisation dans lequel je les administrais. J'ai vite appris — pour ne pas ajouter à la souffrance du patient et de son entourage — à reconnaître ce halo autour du patient, ce brouillard qui m'empêchait de le voir réellement.

Je m'empressais alors de faire venir toutes les personnes qui formaient cette barrière invisible entre le patient et moi. Ensuite, je voyais à clarifier à qui revenait la responsabilité de la bonne marche du traitement, le patient lui-même ou un membre de son entourage.

L'objectif visé était simplement que tous s'entendent sur qui décide quoi et pour qui. Le *sauveur* ou l'agent du malade doit évaluer alors le risque de laisser à son protégé la responsabilité de ses décisions. Cette reconnaissance de l'autonomie du protégé par le protecteur change radicalement les règles du jeu. Elle oblige tous ceux qui sont concernés à réfléchir aux valeurs qui les animent.

Obligée de présumer la non-autonomie du patient, il m'appartenait donc de rencontrer en entrevue le responsable du protégé. S'il se montrait incapable de laisser son protégé décider par lui-même, il était impensable d'espérer rencontrer le patient seul pour des entrevues thérapeutiques.

Il m'est apparu évident qu'on s'attendait à ce que moi, la psychiatre, je décide de bien des choses pour mon patient. Pourtant, cette prise en charge ne faisait que semer une confusion plus grande encore entre territoire, responsabilité et rôle de chacun.

Déjà, à ma première année de résidence, j'étais surprise que mes patients me demandent l'autorisation d'un congé de fin de semaine lorsqu'ils étaient hospitalisés. Il leur appartenait, me semblait-il, de m'informer eux-mêmes du plan de leur sortie. Ils auraient dû savoir ce qui les empêchait d'être malades chez eux. J'ai vite compris, étant donné la mentalité qui régnait dans nos services, qu'une telle attitude de leur part était cependant impossible.

1.4   Variations sur le thème protecteur/protégé

Il existe divers types d'ensembles protectionnistes : un enfant peut devenir l'agent protecteur de sa mère contre son père ; la mère, devenir protectrice de ses enfants contre le père, ou d'un enfant contre un autre enfant. Mais peu importe les variations sur le thème protecteur/protégé, les mêmes indicateurs sont toujours présents. Quant aux émotions ressenties par les protagonistes, elles varient selon le scénario. La mère protégée par son fils aura dans les périodes d'accalmie une impression de sécurité. À l'inverse, l'enfant adulte protégé par sa mère se sentira plutôt contrôlé par elle et même exploité parfois. À partir de l'ensemble de base, certaines manifestations comportementales peuvent se développer et donner l'impression, par leur aspect dramatique ou pathologique, qu'il n'y a plus rien à faire.

À l'aide des exemples qui suivent, le lecteur pourra se familiariser avec les *patterns* relationnels et s'amuser à observer, chez lui et autour de lui, les modèles relationnels existants. Pour devenir un bon observateur, il faut être curieux et s'interdire tout blâme ou mépris. C'est de cette façon que les échanges peuvent devenir amusants et instructifs. On n'attaque plus : on observe, on dort sur les nouvelles données, et des solutions inattendues surgissent. C'est à essayer en petit groupe ou en famille, mais un tel jeu ne s'impose pas.

• L'enfant protecteur d'un parent

Il est très rare qu'une mère qui se laisse contrôler par son conjoint n'ait pas un sauveur parmi ses enfants. Si elle continue de se laisser contrôler, c'est qu'elle pense en tirer quelque avantage. Certaines féministes vont sans doute sursauter devant cette affirmation et, pour la contredire, faire valoir les conditions de vie qui ne donnent d'autre choix, à plusieurs femmes, que de se soumettre. Il y a pourtant une différence essentielle entre la soumission en tant que tactique, et la soumission en elle-même. L'enfant peut saisir cette différence : il n'essayera pas de sauver sa mère si, pour déjouer les abus de son conjoint, elle se sert de la soumission en tant que tactique. Par contre, lorsqu'une femme est véritablement sous le contrôle de son conjoint, un de ses enfants devient son *alter ego*, comme s'il était chargé d'agir à sa place.

Si l'enfant est une fille, elle surveillera les moindres gestes de son père, notant chacune de ses bévues ; elle ne fera plus la distinction entre ce qu'il fait subir à sa mère et ce qu'il lui fait subir à elle-même. Il est possible que Freud ait rencontré de telles femmes — sauveurs de leur mère-victime et convaincues d'avoir été violées par leur père, alors que c'était leur mère qui l'avait été — lorsqu'il a modifié sa théorie sur l'hystérie en 1896.

Toujours est-il qu'il arrive souvent, dans les cas d'inceste, que la fille ait pris le rôle de substitut de la mère et qu'elle ait eu l'impression de tout sauver en se sacrifiant. Mais, inceste ou pas, le processus de victimisation est le même, sauf que les blessures peuvent être plus graves encore s'il y a de réels abus sexuels.

Si c'est un garçon, quand il atteindra l'âge de pouvoir contrôler physiquement son père, il le fera, risquant de devenir lui-même un abuseur. Il se peut encore qu'il prenne le rôle de protecteur de ses propres enfants, sans vraiment se sentir touché par leur réalité, sans avoir d'intimité avec eux.

L'enfant protecteur du parent de sexe opposé risque d'avoir encore plus de difficulté à s'en sortir, parce qu'il ne veut d'aucune façon ressembler de près ou de loin au parent de son sexe. Si le parent a été violent, l'enfant aura tendance à se refuser l'accès à sa propre colère. De façon générale, il essaiera de se protéger en se conformant aux attentes des autres et ne pourra pas accepter de les décevoir.

Que leur position soit supérieure ou inférieure, qu'ils l'aient choisie ou qu'elle leur ait été imposée, les comportements des protecteurs comme des protégés sont tirés du même répertoire. Leurs comportements reflètent leur position, mais ne laissent jamais transparaître leurs véritables émotions et leurs projets personnels. Les enfants protecteurs d'un parent contre l'autre parent ont appris à éviter tout geste ressemblant à ces comportements violents observés chez le parent inadéquat. Et, paradoxalement, comme lui, souvent ils ne savent pas se protéger ou se défendre autrement que par les mêmes moyens violents. Pour que leurs comportements cessent pour de bon, ils doivent pouvoir en reconnaître les grandes lignes, et ne plus se limiter à l'analyse du caractère des individus de leur entourage qui ressemblent au parent rejeté ou à celui qui rejette ; c'est leur propre position à l'égard des autres qui doit changer.

Tranche de vie 2

L'enfant protégé du parent abusé

Claude avait voulu en finir avec la vie, tant il se sentait coupable d'avoir *volé* la femme de son ami. À la face de tous, il était devenu ce tricheur qu'il savait avoir toujours été. Il n'acceptait pas ce reflet de lui-même qui le faisait trop ressembler à son père, lequel avait été rejeté par sa mère et ses sœurs. Pour ne pas les décevoir, il avait vite appris à se cacher mais, au fond de lui-même, il sentait bien qu'il n'était que trop semblable à ce père méprisé.

À force de cacher sa vraie nature, les tricheries étaient devenues plus nombreuses. Il ne lui était jamais venu à l'esprit de se laisser inspirer par sa frustration pour changer les choses. Que ce soit de décevoir les siens, ou de ressentir de la colère le ramenait à l'image du père ; voilà pourquoi il aimait mieux s'effacer.

Il percevait une telle différence entre les attentes de son entourage et ce qu'il était en réalité que le suicide lui était peu à peu apparu comme étant la seule issue. C'était un refus clair de continuer la mascarade et, para-doxalement, une affirmation de son autonomie et de son existence.

La mère de Claude n'avait pas appris à se défendre, même si elle avait cru le faire en mettant son mari à la porte. Elle avait plutôt dénoncé le méchant et s'était laissée protéger, dans le conformisme et la pitié. Quant au père, toute sa vie il avait triché et essayé de tout contrôler, même s'il savait qu'en disqualifiant les autres, y compris son fils, il ne leur inspirait que du mépris. Il continuait de boire à l'excès et donnait raison à tous de le rejeter en persistant dans ce rôle de déchu.

Claude avait suivi, tant bien que mal, une psycho-thérapie de deux ans. Il n'avait pas pu se dévoiler ou bien n'avait pas osé. Fatigué de se cacher, il avait tenté de se suicider. Ses sœurs recommandaient maintenant qu'il suive une autre thérapie. Pourtant, dans le contexte actuel des valeurs familiales, la thérapie ne pouvait entraîner aucun changement, mais plutôt des éclatements, des crises relationnelles, aux dépens des uns et des autres. C'eût été malhonnête, évidemment, de faire croire à cette famille que de réels changements auraient pu survenir avec une autre thérapie pour le fils, sans qu'au préalable de nouvelles habitudes relationnelles aient été adoptées par toute la famille.

En fait, si Claude devait aller en thérapie, ce n'était pas pour s'améliorer, mais pour apprendre à s'affirmer et prendre le risque de décevoir les autres. Cependant, pour qu'il puisse trouver cet espace entre lui et le reflet de lui-même dans les yeux des siens, la famille devait cesser de catégoriser les gens en bons et méchants. Même le père, alors, changerait de classe. Il appartiendrait dorénavant au groupe de ceux et celles qui ne sont pas parvenus à équilibrer leurs intérêts avec ceux des leurs.

Tranche de vie 3

Le fils protecteur

D'aussi loin qu'il se souvienne, David a toujours dû protéger sa mère des propos abusifs, de la négligence et de l'indifférence de son père alcoolique. Au lieu d'apprendre à se protéger elle-même, la mère, affaiblie par des ennuis de santé, n'avait fait que se plaindre auprès de son fils pour obtenir sa protection. Aux yeux de David et de sa mère, de multiples exemples prouvaient l'inconduite du père et, par comparaison, les vertus du fils. Même longtemps après avoir quitté le foyer familial, David avait été maintenu dans son rôle de protecteur autant par son père, inadéquat dans son rôle, que par sa mère.

Pour se maintenir sur le piédestal où, en tant que protecteur, on l'avait élevé, David en était venu à tricher au travail. Quand étaient survenus des revers de fortune, il n'avait pensé qu'à entraîner tout son entourage dans sa dégringolade sociale, afin que ce dernier porte avec lui le poids de sa chute.

Suicidaire, voire «homicidaire», il était craint de sa femme et de son patron. Personne n'avait jamais pu imaginer qu'un David aussi abject et violent puisse exister. Pourtant, il n'avait eu qu'à suivre en cela l'exemple de son père, même si la dernière chose qu'il voulait, c'était bien de ressembler de près ou de loin à ce père détesté. Il avait cru qu'en jouant au plus fin, il n'y serait jamais identifié.

Ses parents étant morts, on s'était tourné vers le frère de David pour sauver la situation. Comment pouvait-on aider ce frère à lui porter secours ? Surtout pas en lui faisant jouer le rôle du sauveur... Comme c'était impossible d'aider David dans le contexte présent, les deux frères devaient d'abord prendre conscience du code de communication de la famille et de ses valeurs protectionnistes.

C'était au frère d'entreprendre la démarche le premier, puisqu'on lui demandait son aide, pour ensuite partager avec David sa propre détresse et son impuissance face à la situation. Ne rien nier, ne rien cacher et surtout, ne pas fuir ni sauver David.

• La mère qui protège son enfant du père

Combien de familles vivent dans ce modèle où la mère protège l'enfant de son père ?

Ce modèle est tellement fréquent que certains ont même été jusqu'à dire qu'il était inscrit dans nos gènes ! C'est ce qu'on nous enseignait, lors de ma formation en pédopsychiatrie, en nous disant que ces modèles parentaux étaient innés et non appris. Pas nécessairement la protection contre la violence, mais contre une certaine rudesse du père, à laquelle on opposait la douceur de la mère.

Le père, comme représentant de la réalité extérieure, la triangulation ou le complexe d'Œdipe : ces thèmes, et ce qui les unit, ont fait l'objet de plusieurs écrits et de plusieurs réflexions au cours du XXᵉ siècle. Pour ma part, dès mes premiers contacts avec les théories psychanalytiques, les rôles respectifs et complémentaires accordés aux pères et aux mères m'ont scandalisée. Une personne était la moitié d'une autre, d'après ces théories — et plus souvent la femme que l'homme.

En 1980, j'ai publié un article [3] dans lequel je décrivais comment la femme occidentale, en se sacrifiant à son rôle de gardienne du foyer et du cocon maternel, agissait contre son intérêt et celui de tous.

Le père, dans un tel contexte et conformément au rôle que lui donnaient les théories psychanalytiques, avait le devoir d'initier son enfant aux dures réalités de la vie en le sortant du giron maternel. Ainsi définie, la famille devenait à proprement parler un lieu d'apprentissage des pires saloperies inter-personnelles dans des coalitions et des rivalités explosives.

Heureusement, dans la perspective incontournable de l'autonomie de chacun, nous ne pouvons plus nous cantonner dans cette classification binaire et complémentaire rigide des humains, lorsque chacun de nous devient responsable de la bonne marche des projets familiaux et aussi, un jour, espérons-le, sociaux.

Chacun essaie avec l'autre de se maintenir dans son cocon personnel et familial, et d'en assurer aussi l'équilibre avec le monde extérieur en constante évolution.

La mère qui protège ses enfants contre la rudesse du père ne réalise pas qu'elle l'encourage dans son attitude, tout en le déchargeant de l'impact et des conséquences de ses gestes. Elle informe en quelque sorte le père et les enfants qu'il est possible pour celui-ci de bousculer ses enfants sans toutefois réparer les dégâts, puisque c'est elle qui s'en charge !

Quand le père devient littéralement violent, la mère continue le plus souvent à vouloir sauver le couple et les enfants en compensant pour les gestes violents de son mari. Pense-t-elle au modèle dans lequel elle enferme tous les siens avec ses aspirations et ses comportements salvateurs et déresponsabilisants ?

Tranche de vie 4

Un cas de violence conjugale

Georgette se fait battre sporadiquement par son conjoint depuis sa première grossesse. «Un jour, les choses iront mieux», se dit-elle. Comme de fait, les choses vont mieux... jusqu'à ce que le vase déborde encore. À chaque fois, Georgette croit que ce sera la dernière : son mari ne le lui a-t-il pas juré? Puis, il l'a frappée devant son fils, devenu par la suite si nerveux qu'il a de la peine à dormir. «Une vraie tapette», a dit son père.

Georgette a vraiment peur de son mari, plus violent que jamais. Elle planifie de le quitter, même si elle a l'impression qu'avant cet épisode ils avaient fini par se comprendre. Elle part donc, en lui laissant croire qu'elle reviendra. Après un court séjour dans une maison d'hébergement, elle s'installe avec ses deux enfants dans un nouveau logis, mais son mari lui fait sans cesse des menaces.

Georgette va donc en cour pour lui faire interdire l'accès de sa demeure. On recommande alors au mari de chercher de l'aide, mais il est déjà inscrit dans un groupe pour hommes violents. « Je suis déjà en thérapie ! » proteste-t-il. Ce qui ne l'empêche pas de continuer le même harcèlement en exerçant ses droits de visite auprès des enfants. Ces derniers montrent des difficultés d'apprentissage. L'éducatrice qui s'en occupe suggère une consultation en pédopsychiatrie.

Pour compléter le tableau, l'intervenante de la maison d'hébergement assure un suivi auprès de Georgette tandis que le médecin lui prescrit des tranquillisants pour abaisser son anxiété.

Dans de telles situations, en apparence sans issue, les intervenants sont de plus en plus nombreux. Comme si la chose était possible, on essaie de contrôler un homme — avec les meilleures intentions du monde — au lieu de constater avec lui que rien ne peut être réglé sans sa participation.

Un rat qui se sent coincé peut devenir dangereux ; c'est la même chose pour celui qui perd sa crédibilité et que son milieu rejette. Il devient des plus habiles pour faire échouer tout plan de réorganisation dont il se sent exclu.

Tranche de vie 5

Marie et son mari jaloux

Marie, 33 ans, restait à la maison depuis le jour de son mariage avec Gabriel. Tous deux avaient décidé de donner priorité aux soins de leurs enfants jusqu'à ce que le petit dernier commence l'école. Alors, le bénévolat ne lui suffisant plus, Marie était retournée travailler dans son ancien bureau et rêvait maintenant d'une carrière. Mais quelle ne fut pas sa surprise devant la réaction de son mari !

Gabriel, qui n'arrivait plus à faire confiance à sa femme, imaginait sans cesse que des hommes séducteurs tournaient autour d'elle et ces visions l'empêchaient d'être heureux. Devenu jaloux, et convaincu que sa femme le trompait, il en était progressivement venu à la menacer de se tuer, pour se soustraire à son sort de mari trompé. Oscillant entre des tendances suicidaires et homicidaires, non seulement devenait-il de plus en plus abusif dans son langage, il en était même passé aux coups récemment.

Au lieu de tenter de l'apaiser, un ami très religieux, consulté par Gabriel, n'avait fait que nourrir son doute sur la fidélité de sa femme en l'instruisant... des caractéristiques d'une femme fidèle : des jupes longues, de la retenue dans les lieux publics, le fait qu'elle évite la compagnie des autres hommes, qu'elle se consacre à son mari et à ses enfants... Selon lui, celles qui ne correspondaient pas à ce signalement cherchaient toutes des aventures extraconjugales.

Gabriel se trouvait devant un paradoxe : il ne voulait pas imposer à Marie cette façon de se comporter, il aurait aimé qu'elle s'y conforme spontanément. Marie lui avait pourtant donné bien des preuves de sa fidélité, mais celles-ci n'étaient jamais suffisantes aux yeux de Gabriel qui en voulait toujours plus. Bien malgré elle, Marie encourageait donc, par son *comportement*, la jalousie de Gabriel. Un jaloux n'a jamais assez de preuves ; ce qui maintient son délire, c'est justement cette recherche de faits évidents qui ne le sont jamais assez.

Quand on y pense, il est contradictoire d'avoir à accumuler des preuves de son honnêteté pour rétablir un climat de confiance ! Et cette justification de nos comportements ne fait que donner à l'autre le pouvoir de nous contrôler.

C'est dans le moyen utilisé pour gérer un conflit qu'il est possible de savoir si nous nous orientons ou non vers une plus grande marge de manœuvre. En prenant les moyens que nous offre la culture protectionniste, nous nous orientons vers un cul-de-sac à plus ou moins long terme même si, à court terme, nous avons l'impression d'avoir réglé le problème.

Plusieurs essaieront de comprendre la raison « profonde » de la jalousie de Gabriel, au lieu de voir ce qui maintient cette jalousie, dans le présent contexte. Se limiter au *pourquoi* entraîne d'ordinaire encore plus de blâme et de disqualification. Posons-nous plutôt la question suivante : qu'est-ce qui empêche Marie de se rendre compte que ses tentatives de justification contribuent au maintien de la jalousie de Gabriel ?

Marie et Gabriel se sont enfermés dans cette jalousie incontrôlable en prêtant l'oreille à ceux qui partagent avec eux les mêmes valeurs fondamentales. Cet ami consulté par Gabriel, les gars au travail qui se moquent des maris cocus (*lesquels se font mourir à l'ouvrage pendant que leur femme s'épanouit*), et même la mère de Gabriel, qui l'a élevé seule parce que son mari l'a quittée pour une autre...

Le rapport entre Gabriel et sa mère est révélateur. Élevé en *bon garçon*, il ne devait rien cacher à sa mère, ni la tromper comme l'avait fait son père ; il ne lui fournissait jamais assez de détails sur ses allées et venues. N'y aurait-il donc jamais moyen d'échapper à l'œil de tous ces contrôleurs ? Dieu, sa mère et tous les autres ?

Gabriel s'était engagé, dans son propre projet de famille, à tout dire à sa femme, à ne rien laisser dans l'ombre. Il avait parfois l'impression de s'être oublié, d'avoir mis ses intérêts de côté, mais il ne savait pas comment faire coexister les projets de ceux qui le surveillaient ou dépendaient de lui — et qu'il était appelé à soutenir —, en même temps que ses projets à lui.

Marie avait sans doute profité pendant un certain temps de ce mari protecteur et bon père de famille, alors qu'elle désirait surtout satisfaire ses intérêts personnels. Elle découvrait maintenant de quels abus il était capable.

On ne sait jamais comment évolue un protecteur. L'individu qui se sacrifie risque très souvent d'utiliser la violence pour sa survie, parce qu'il accepte le contrôle et la violence des autres, et que la souffrance laisse toujours des traces dans sa mémoire. Mais celui qui agit par générosité ne se sent pas exploité, même si ses dons ne sont pas reconnus : il donne dans son propre intérêt et pour celui de son groupe. Il est déjà satisfait de l'équilibre de son groupe et de la chance qu'il a de pouvoir y participer.

Tranche de vie 6

Henriette la superfemme

Henriette, 35 ans, était mariée et mère de deux enfants de quatre et six ans. Elle se donnait de tout cœur à son travail d'infirmière — comme à tout le reste — et cherchait à obtenir des notes parfaites sur tous ses bulletins comportementaux. Que ressentirait-elle si elle recevait une mauvaise note ? Pourquoi y aurait-elle pensé puisque ses notes étaient toujours et partout les meilleures ?

Néanmoins, les demandes et les attentes de l'entourage ne cessaient d'augmenter à son endroit. À peine avaient-ils acheté une maison que son mari perdait son travail. Il avait fallu mettre les bouchées doubles et, bien sûr, ce qui devait arriver arriva : Henriette était tombée malade d'épuisement.

Le bureau des ressources humaines de l'hôpital l'ayant obligée à rencontrer un psychiatre-expert pour une évaluation, on avait laissé sous-entendre une simulation de sa part, et exigé un retour progressif au travail ; ce qui fut fait. « Mais comment avait-on pu lui jouer un tel tour ? » s'était-elle demandé.

J'avais été demandée en consultation, en contre-expertise, par le médecin traitant. Henriette se portait mieux, heureusement, mais elle n'avait plus le même état d'esprit. Elle avait l'impression d'avoir eu affaire à des tricheurs, son mari inclus.

Henriette ne voulait plus rien entendre de ce mari qui, depuis, avait repris son travail et semblait ne rien comprendre à ce qui se passait.

Pour ma part, je ne savais pas si j'arrivais trop tard, tant les protagonistes semblaient divisés en deux clans : la psychologue, le médecin de famille et Henriette, d'un côté ; le psychiatre-expert, le mari et les collègues de travail de Henriette, de l'autre.

Cette femme s'était oubliée pour le bien de tous plutôt que de voir à la fois à son intérêt et à celui des autres. La psychothérapeute du programme d'aide aux employés avait eu le mandat d'aider Henriette, mais pas la famille ou l'employeur ; elle ignorait la nécessité de changer les relations qu'entretenait Henriette tant avec sa famille qu'avec son milieu de travail. Son traitement n'entraînait que du mépris des uns pour les autres et n'amenait pas Henriette à mieux se protéger des attentes de son entourage. Elle n'avait appris qu'à condamner les vilains, ce qui est fort peu utile dans la réalité de tous les jours.

C'est ainsi qu'on perpétue des valeurs d'exclusion ou d'inclusion. Henriette était encore bien loin de la mobilité et de la marge de manœuvre essentielles pour se garder en santé !

Tranche de vie 7

Jeanne la superintuitive

Obligée, à 17 ans, d'aller en pension chez une tante pour ses études d'audiologiste, Jeanne s'était enfin retrouvée loin d'une mère possessive et dominatrice. Elle s'était sentie soulagée d'avoir pu quitter son milieu familial sans avoir provoqué d'éclatement, et de vivre enfin dans un milieu tout à fait différent.

Pour ne pas décevoir la confiance de sa logeuse, elle essayait de tout prévoir et de tout faire pour la satisfaire. Elle en était rendue à deviner ses pensées, même à distance, et toutes deux réalisaient à quel point leur relation était harmonieuse.

Avec le temps, Jeanne en était venue pourtant à voir combien sa tante avait un parfait contrôle sur sa vie, au point de se sentir complètement étouffée. Ce n'est qu'en devenant amoureuse de celui qui serait plus tard son mari qu'elle était parvenue à se libérer de cette relation.

Après la naissance de son deuxième enfant, Jeanne fit une dépression sévère. Elle tenta de se suicider. Elle n'avait pas vu à se donner une place pour elle-même dans ses rôles d'épouse et de mère. Elle se vantait encore de son intuition, de sa capacité à deviner les autres, sans savoir que cette superintuition était un symptôme de relations contrôlantes. Il lui fallait apprendre à s'affirmer, plutôt que de chercher à deviner les autres avant même qu'ils ne manifestent quelque désir.

Jeanne avait répété le modèle maternel avec sa *nouvelle mère* personnifiée par sa tante, qui semblait pourtant si différente, puis avec son mari et ses enfants, qui n'avaient rien non plus de sa mère, du moins initialement mais qui lui ressembleraient de plus en plus avec le temps si Jeanne se maintenait dans ses valeurs et ses attentes en regard des autres.

Tranche de vie 8

Quand l'un des parents est absent

Quand l'un des deux parents a quitté, celui qui reste fait trop souvent l'erreur d'essayer de remplacer l'autre, de remplir les deux rôles, alors qu'il devrait plutôt aider son enfant à accepter la séparation. C'est à l'enfant qu'il appartient désormais de renouer, à sa façon, avec l'absent.

Le parent envahissant qui se croit le protecteur idéal devient un obstacle entre l'ex-conjoint et l'enfant. Il risque fort que ce dernier lui en fasse le reproche, plus tard...

Armande a 23 ans. Son père lui manque depuis qu'elle est toute petite. Pourtant, quand elle lui rend visite les fins de semaine, ils ne parviennent jamais à bien s'entendre.

Quand ses parents se sont séparés, Armande avait sept ans, et son frère, quatre. Sa mère avait cru que sa fille avait heureusement échappé aux effets néfastes de cette séparation, fort influencée en tant que psychologue par sa compréhension du principe freudien selon lequel tout se joue avant l'âge de six ans.

Afin de garantir le bonheur de ses enfants, elle s'était assurée, en bonne mère pourvoyeuse, qu'ils ne manquent jamais de rien. Quant à leurs besoins affectifs, la charge lui en revenait entièrement, croyait-elle, son ex-mari n'étant pas très doué à ce point de vue, comme elle-même avait pu le constater.

Aussi n'était-elle pas surprise qu'Armande se plaigne du manque d'attention et d'affection de son père. Elle tentait alors de combler ce manque en l'embrassant et en l'aimant pour deux.

De façon paradoxale, Armande s'était très vite sentie de trop auprès de sa mère. Elle avait une sensation de vide affectif et était portée à la déprime. «Mais elle se plaint les mains pleines!» avait rétorqué sa mère. Après tout, avait-elle jamais hésité devant un sacrifice à faire pour ses enfants?

Les parents de Béatrice s'étaient séparés alors qu'elle avait neuf ans, et son frère, onze. Sa mère, avait tenté de satisfaire son mari en tout, mais il semblait chercher autre chose. Elle ne savait pas trop pourquoi il était parti, tant il lui semblait qu'ils étaient heureux ensemble, ou plutôt, malgré qu'elle eut tant fait pour le rendre heureux.

Après son départ, elle avait dû se trouver du travail. Comme elle se trouvait peu habile dans son rôle de pourvoyeur, elle avait encouragé sa fille Béatrice à se donner les outils qui lui permettraient d'être autonome, du moins financièrement, plus tard.

Philippe, le frère de Béatrice, avait ressenti un grand vide auprès de ces femmes qui se préparaient à la défection de leur homme. Il ne parvenait pas non plus à susciter l'intérêt de son père, qui jouait son rôle en bureaucrate, en ce sens qu'il faisait ce qu'il fallait, mais sans jamais s'engager personnellement. Jouer avec lui ne lui donnait aucun plaisir; découvrir les habiletés de son fils, ou redécouvrir les siennes, ne lui disait rien. Il suivait à la lettre les préceptes du livre-guide *Tout ce qu'un bon père doit faire pour ses enfants*, mais il se limitait à son rôle sans voir à y mettre son âme.

Je qualifie le père de Philippe de bureaucrate parce qu'il ne s'implique pas vraiment dans son projet de père, bien qu'il se conforme très bien au rôle des parents. En effet, on ne peut rien lui reprocher objectivement, mais ceux qui le connaissent sentent qu'il y a quelque chose de bizarre dans cette *perfection*.

L'objectif de ce livre est de sensibiliser le lecteur aux guets-apens de nos organisations aidantes et de l'aider à se donner des conditions qui lui permettront de s'impliquer dans les problèmes de son entourage, sans trop nuire ni se coincer lui-même. L'urgentologue doit se méfier de la double identité du bureaucrate. Le bureaucrate disparaît en tant que personne derrière le masque qu'il revêt pour accomplir sa tâche, bien qu'il n'y paraisse rien.

La séparation de leurs parents ne s'est pas passée de la même manière pour Armande et Béatrice, parce que leur mère a réagi différemment au départ du mari. Béatrice a été encouragée à se passer de son père en développant ses propres talents et en obtenant ainsi l'admiration de sa mère.

La mère d'Armande, quant à elle, s'est limitée à sa double fonction de mère et de substitut du père. En se sacrifiant, elle a coupé la relation intime qu'elle avait avec sa fille et, surtout, elle lui a fait fortement ressentir l'absence du père.

Quant au frère d'Armande, moins coincé qu'il était dans le jeu de compensation de sa mère, il a pu avoir un meilleur contact avec son père et mieux s'en porter que sa sœur. Philippe, pour sa part, a souffert de ne pas avoir vraiment connu son père, effacé qu'il était derrière sa fonction paternelle. Auprès des femmes de sa famille, il a l'impression d'être, en tant qu'homme, un peu inadéquat, notamment à cause de sa ressemblance avec son père.

Tous ces jeunes s'en tireront probablement bien. Mais l'adaptation serait beaucoup plus facile si les parents réfléchissaient à leur rôle de protecteur, qui les empêche de voir simultanément à leurs intérêts et à celui des leurs, et les amène à prouver qu'ils sont «bons» et que l'autre est négligent.

1.5 Règle du respect de l'autonomie

Nous verrons, dans le troisième chapitre, comment transformer un contexte de victimisation en un contexte de coopération. Mais il est utile de savoir dès maintenant que pour éviter la victimisation, il faut s'assurer de vivre selon la Règle du respect de l'autonomie et de la vulnérabilité de chacun (RRAV).

La RRAV est un contrat verbal auquel chacun adhère librement — on ne peut y être forcé — et par lequel chacun s'engage à respecter l'autonomie de l'autre, c'est-à-dire son pouvoir de décider pour lui-même et par lui-même en tout. La RRAV implique aussi que chacun s'engage à respecter le fait qu'il est sensible et vulnérable et qu'il peut souffrir énormément de décisions imposées de l'extérieur. Respecter sa propre vulnérabilité et celle d'autrui, connaître ses limites et celles de l'autre, signifie qu'on refuse de contrôler l'autre et de se faire contrôler par lui.

L'être humain est vulnérable. Il ne peut survivre longtemps seul. Il a besoin des autres pour le confirmer dans son existence. Il se sent vite en perte d'intégrité s'il n'est pas reconnu comme un être ayant sa propre vision des choses, son propre jugement sur ce qui l'entoure et capable d'assumer ses décisions.

Le choix de la coopération se fait à partir d'un double constat : l'impossibilité de contrôler un humain à long terme sans que tous y perdent, et l'existence du processus de victimisation qui se répercute sur les états maladifs du patient.

Si une personne ne peut plus décider, ce n'est pas tant à cause de sa maladie, mais parce qu'on a pris l'habitude de le faire à sa place. Elle ne pourra apprendre ou réapprendre à décider que dans un contexte de responsabilité, un contexte de gens responsables, et non de responsabilisation établi par ceux qui sont en positon supérieure, les protecteurs.

1.6 Double standard du protectionnisme

J'ai essayé de décrire quelques-uns des nombreux aspects qui distinguent la mentalité des protecteurs et protégés de celle des personnes responsables. L'élément central qui rend ces mentalités irréconciliables — et qui est à l'origine de multiples situations déstabilisantes et paradoxales, non seulement en psychiatrie, mais dans d'autres secteurs d'activité —, c'est le double standard moral de la culture protectionniste.

Ce double standard est entretenu par les protecteurs et protégés à cause de la priorité accordée aux bonnes intentions, aux dépens de l'attention portée à la nature des moyens eux-mêmes. C'est l'orientation du moyen qui donne au projet sa finalité, et non l'objectif poursuivi.

Le parent qui veut que son enfant soit autonome n'atteindra pas son but en tentant de le contrôler, ou en se laissant lui-même contrôler, mais bien plutôt en établissant un contexte qui encourage l'enfant à assumer la responsabilité de ses gestes, contexte propre à le rendre autonome et conscient de la nécessité de voir à sa propre protection.

En donnant priorité à l'orientation du moyen (*vers où allons-nous avec ce moyen?*), les normes comportementales perdent leur caractère absolu. Il n'y a plus d'actes bons ou mauvais en soi, mais des actions orientées vers le maintien ou la perte de l'intégrité physique ou morale des individus, compte tenu de leur contexte et de leur évolution. On s'attendra aussi au respect des ententes prises entre individus responsables plutôt qu'à la prise en charge des irresponsables que l'on crée par nos moyens protecteurs.

Dans la culture protectionniste, il est tacitement reconnu qu'un protégé se plie difficilement aux règles. Pour éviter de rencontrer ses engagements, il a toujours la possibilité de faire valoir l'ampleur de ses difficultés.

On lui fait valoir alors la vertu pour ramener l'ordre, en suscitant chez lui honte et culpabilité. Il s'agit là d'un moyen violent, à l'encontre du respect de son autonomie. Faire honte ou rendre coupable est le principe moteur des relations contrôlantes.

Dans le monde des personnes responsables, on s'attend à ce que le sujet respecte les ententes, ou les réévalue si nécessaire, et ce, non pas de façon unilatérale, mais avec l'accord des parties concernées.

Seule une personne libre et responsable peut adhérer à la RRAV. Il n'existe pas de « police de la règle » : chacun est responsable de son application. Celui qui n'en a pas saisi le sens et qui en dévie risque même l'exclusion de son groupe, car l'esprit de confiance, à la base de ce rapport de respect, aura disparu. Il devient ainsi souvent nécessaire pour le tricheur de se trouver un autre groupe, où il verra à respecter les ententes, si tel est son choix...

Les protecteurs disent appliquer cette règle d'entente entre eux, mais ils n'hésitent pas à s'en moquer quand ils se sentent coincés, ou quand un des leurs devient démuni ou malade. Entre les protecteurs eux-mêmes, c'est le rapport protecteur/protégé qui s'installe alors, avec son double standard moral.

C'est ce qui, souvent, nous amène à observer une discordance évidente entre le discours des dirigeants et leur pratique. On fait appel au sens des responsabilités des subalternes — que l'on prétend inciter à la participation — alors qu'on les maintient dans un contexte d'autorité, de contrôle. Cette situation paradoxale ne peut être dénouée qu'en optant définitivement pour l'une ou l'autre mentalité, de victimisation ou de coopération, au maintien de laquelle tous participent, tant protecteurs que protégés. En psychiatrie, nous sommes très souvent au centre de ces aspirations contradictoires.

1.7 Mentalité et changement

Parler de la participation des individus au changement de leur milieu sans se préoccuper de la mentalité de celui-ci, des valeurs qui y règnent et qui se révèlent lors de dissensions, relève de la culture protectionniste. Dans la structure rigide qui caractérise les ensembles protectionnistes, il ne peut y avoir que des pseudochangements. Demander à quelqu'un d'agir de façon responsable alors qu'on lui donne un rôle de protégé, c'est le surresponsabiliser.

Dirigeants et dirigés ont appris à se blâmer mutuellement et à se traiter de «mauvais esprit». Plutôt que de tenter la mise en place d'un contexte de coopération qui permettra l'émergence de nouveaux comportements, ils s'enlisent dans leurs efforts individuels, sans changer les règles de gestion des conflits, ce qui n'entraîne, en général, qu'un durcissement de la situation.

Le fait de traiter une personne malade sans porter intérêt à son propre rôle dans un contexte protectionniste risque souvent de lui nuire, en la décourageant de jamais pouvoir s'en sortir, malgré tous les efforts déployés.

Le processus de victimisation est un ensemble dans lequel chacune des parties a le sentiment d'être la victime de l'autre. Dès lors, il est impossible pour les parties de changer les règles de victimisation en règles de coopération : ce changement ne peut venir que de l'extérieur.

Il est essentiel pour les tiers consultés, urgentologues et autres, de reconnaître ce processus et de mettre en place un contexte de gestion des conflits. Par exemple, le juge d'une cour familiale ordonnera à des parents séparés, incapables de résoudre leur différend quant à la garde des enfants, de rencontrer un médiateur. «Comme s'il les condamnait à s'entendre», pourrions-nous dire.

La tâche du médiateur se fait en deux étapes. En premier lieu, il doit indiquer clairement aux deux parties qu'elles peuvent continuer à se quereller, et que son rôle de médiateur s'arrêtera aussitôt si tel est leur désir. Si celles-ci en viennent, après réflexion, à reconnaître l'avantage d'une entente — et pour elles et pour les enfants —, elles laisseront au médiateur son rôle de gestionnaire du conflit, dans le respect de l'autonomie des parties concernées.

En deuxième lieu, le médiateur ne peut connaître du succès que s'il fait le deuil de son omnipuissance. Seul, il ne pourra rien régler.

L'intervenant aurait souvent avantage à laisser de côté son rôle de thérapeute pour celui de médiateur, dans le but d'instaurer un contexte qui soit propice à la négociation. Mais une médiation ne peut réussir qu'à condition que tous le désirent ; c'est là le principe de la coopération. Il faut pouvoir compter sur l'engagement de tous les individus concernés.

Tranche de vie 9

La fille malade abusive

« On ne frappe pas quelqu'un qui est déjà à terre » me disaient les parents qui encaissaient sans mot dire les propos méprisants et les récriminations de leur fille.

« À la maison, ils me traitent comme une imbécile ; ils parlent dans mon dos et me sourient bêtement, *comme si* j'étais incapable de comprendre quoi que ce soit. » arguait de son côté la jeune fille.

Les parents se laissaient attaquer par leur fille, croyant ainsi lui donner la chance de retrouver ses capacités. Elle n'avait plus confiance en elle et ne pouvait s'imaginer vivre sans eux. Par ailleurs, elle ne savait pas comment s'y prendre pour qu'ils soient sincères avec elle et mettent fin à ces échanges *comme si* — qu'elle réprouvait sans pouvoir les nommer.

Les parents avaient décidé de garder leur fille à la maison, échaudés par des contacts désastreux avec la psychiatrie. Le diagnostic des spécialistes n'était pas clair : panique, troubles maniaco-dépressifs, schizophrénie peut-être ?

La jeune fille percevait la pitié de ses parents, pour ne pas dire leur mépris, mais aussi leur bonne volonté, ce qui la rendait encore plus ambivalente et violente envers eux. En faisant fi de ses attaques, ses parents tentaient indirectement de la contrôler par des discours encourageants et séducteurs.

En refusant de manifester leurs propres limites, ils envoyaient à leur fille un message implicite, à savoir qu'elle était beaucoup trop malade pour savoir ce qu'elle faisait. En même temps, ils cherchaient à la rassurer en lui disant que sa maladie n'était pas si grave et qu'elle irait bientôt mieux. Comment pouvait-elle aller mieux sans dénouer ces fils entremêlés ? Pouvait-elle seulement les dénouer seule ?

Une psychothérapie, qui durait depuis près de deux ans, les laissait tous de plus en plus démunis devant des crises toujours plus fréquentes, y compris le psycho-thérapeute et les autres enfants de la famille. C'était clair, chacun avait tendance à ignorer ses propres limites devant la détresse de cette enfant, qu'en raison des liens d'appartenance on se sentait obligé d'aider. Dans un tel contexte, toute intervention ne pouvait qu'être vouée à l'échec. Ce qu'il fallait d'abord faire, c'était de s'attaquer au double standard moral.

Tranche de vie 10

Le thérapeute menacé

J'ai le souvenir encore très présent d'un jeune patient de 20 ans, hospitalisé sous mes soins, qui, un jour, a menacé de me tuer. Quelques mois auparavant, il avait cassé le bras d'un infirmier; aussi avais-je pris sa menace très au sérieux. L'équipe avait été avertie : j'avais l'intention de ne plus travailler sous le même toit que ce patient.

À ma grande surprise, et pour m'amener à réviser ma décision, mes collègues de travail avaient essayé de m'expliquer, en termes psychologiques, la raison de cette menace. Je n'étais pas à cette époque très versée en théories systémiques, et donc je n'avais pas su faire comprendre à mes collègues pourquoi il serait nocif pour tous que je fasse *comme si* je n'avais pas peur, en plus de risquer de me faire blesser ou tuer.

En présence d'infirmiers, j'ai informé le patient de ma peur et de la façon dont je me proposais d'y faire face. Je lui ai demandé s'il désirait lui-même mettre sa famille au courant de la situation; pour ma part, j'étais prête à la rencontrer.

Le père et la mère sont venus justifier l'agissement de leur fils par le fait qu'il était malade. Que je sois énervée à ce point les surprenait : ils avaient pourtant eux-mêmes toléré ses menaces et ses coups pendant longtemps. Ils ne se rendaient pas compte qu'ils m'avouaient, par le fait même, avoir participé à son apprentissage de la violence...

Je leur ai expliqué que, malade ou non, leur fils devait saisir que des manières violentes ne suscitent que peur et rejet, pour un thérapeute comme pour son entourage. La maladie ne devait d'aucune façon l'empêcher d'être en contact avec sa propre peur et celle des autres. Il n'était pas question de donner le mauvais exemple en faisant fi de ma propre peur. Puisque je le craignais, je devais agir en conséquence, et non pas m'en tenir simplement à lui expliquer la chose. Dans la logique disjonctive du protectionnisme, on s'applique souvent à expliquer sans rien changer.

Parce que nous n'avions pas d'unité de surveillance des sujets dangereux à notre hôpital, j'ai fait transférer ce patient dans un autre institut. Je l'ai informé que je le reverrais quand je n'aurais plus peur. Comme il voulait encore me frapper, il semblait dire que j'avais raison d'agir ainsi.

Quand, par la suite, j'ai fait un suivi auprès de lui, il m'a dit que j'avais été la seule personne à le prendre au sérieux. Il ne se souvenait plus des raisons qui l'avaient poussé à vouloir me tuer, mais le motif de son transfert dans un autre institut l'avait ébranlé. Avec ses parents, les choses allaient maintenant beaucoup mieux.

Tranche de vie 11

La patiente protégée, contrôlée, abusée

Fabienne est mère d'une fille de dix ans et d'un garçon de huit ans. Elle vit séparée depuis plusieurs années et subvient aux besoins de sa famille en travaillant comme vendeuse dans un magasin. Déprimée, incapable de travailler depuis un mois, elle consulte un psychiatre qui l'hospitalise.

Tout se déroule comme prévu jusqu'au congé de l'hôpital : il y a rechute de la dépression dès qu'il est question de sortie. Elle fait une première tentative de suicide pendant un congé de fin de semaine, avant son départ définitif de l'hôpital.

Le psychiatre a l'impression d'être contrôlé par Fabienne. Il en parle comme d'une hystérique, une manipulatrice, une personnalité *borderline*. Selon lui, Fabienne n'est pas vraiment malade : elle se sert de sa maladie pour des gains secondaires.

Une personnalité qu'on dit *borderline* se caractérise par une humeur et des comportements instables, sans proportion avec le contexte. Le problème avec ce genre de diagnostic, c'est qu'on relie au trouble de la personnalité toutes les réactions affectives et comportementales que le patient peut susciter chez l'évaluateur, sans égard au contexte présent.

Fabienne essaie alors de se tuer sur les lieux mêmes de l'unité de soins psychiatriques. Le psychiatre a beau parler de manipulation et tenter de reprendre le contrôle de la situation en la disqualifiant, il n'en reste pas moins que Fabienne mène le jeu.

Son retour en ambulance, après une troisième tentative de suicide, le jour même de son congé de l'hôpital, n'est-il pas la preuve qu'elle a eu son congé trop tôt? En traitant la dépression, ne fait-on pas croire aux patients qu'on mettra fin à leurs comportements suicidaires? Le psychiatre de Fabienne essaie de faire comprendre au psychiatre de l'urgence que l'hospitalisation doit cesser, mais c'est peine perdue.

Après trois autres tentatives de suicide, et par suite de l'intervention de l'ombudsman et de la Direction de la protection de la jeunesse, Fabienne est hospitalisée à nouveau. Elle dit faire des dissociations mentales et ne plus se souvenir de ses tentatives de suicide. Elle refuse par ailleurs d'être attachée ou isolée des autres à cause de l'automutilation qu'elle s'inflige.

Ces supposées dissociations — c'est ainsi qu'on qualifie ses troubles de mémoire — enveniment de plus en plus ses relations avec les intervenants. Fabienne se plaint d'être attachée et ne peut pas accepter cette façon de la contrôler. Elle dit avoir été abusée, enfant, alors qu'elle était attachée et enfermée dans un placard. Le personnel n'arrive pas à croire à toutes ses histoires racontées selon le moment, *comme si* la patiente les inventait au fur et à mesure pour les faire se sentir coupables.

On établit des plans de traitement destinés à rendre désagréable le séjour de Fabienne à l'hôpital. Il faut la dissuader d'y rester, modifier l'idée paradisiaque qu'elle s'en fait. Si ça ne réussit pas, c'est simple, il faudra la chasser du paradis. Dans cette histoire, le personnel devient hystérique et *borderline* lui-même...

De là vient probablement la conviction des intervenants qu'un patient souffrant d'un tel trouble de personnalité ne doit pas être hospitalisé. En vérité, l'hospitalisation — et l'approche protectionniste du personnel traitant — est nuisible à la santé du malade comme à celle de l'intervenant; elle met en relief les troubles de personnalité de toutes les parties concernées.

L'intervenant est coincé dans les manigances des *borderlines*, car il doit appliquer les standards moraux de deux ensembles qui, lorsque maintenus dans leurs orientations, s'excluent tout simplement.

Dix ans après sa première hospitalisation, Fabienne est encore traitée pour sa maladie. Elle n'a pas repris le travail et ses enfants ont été placés en famille d'accueil.

Les intervenants ne réalisent pas que des patients comme Fabienne leur donnent une occasion extraordinaire de changer leur approche protectionniste, qui ne peut conduire avec le temps qu'au mépris et au rejet.

• Les voleurs de problèmes

J'appelle souvent les sauveurs des «voleurs de problèmes». Ils nuisent à la personne en difficulté puisqu'il n'est pas possible de résoudre un problème qui ne nous appartient plus. L'urgentologue, cette personne interpellée, ne doit surtout pas voler le problème de l'autre pour le résoudre. Mais il y a un voleur dans la famille dont on ne se méfie pas : c'est l'enfant. Il s'accapare littéralement les problèmes familiaux et se donne la tâche, impossible, de les faire disparaître.

Salvador Minuchin [4] a bien saisi ce comportement en voyant à distinguer les responsabilités et les territoires respectifs de chacun, lors de ses interventions familiales.

Cet enfant sauveur devient, lorsqu'il est adulte, la victime des ensembles où malgré ses efforts il ne parviendra pas à imposer ses solutions *évidentes*. C'est aussi celui qui devient cynique, abusif, malade, récriminateur avec les années, à moins qu'il ne saisisse les *patterns* et les aspirations dans lesquels il s'enlise, pour enfin retrouver sa mobilité.

Au congrès de 1996 de l'*American Psychiatric Association*, l'écrivaine Martha Manning, docteure en psychologie, recevait le *Patient Advocacy Award* pour son livre *Undercurrents : A Life Beneath the Surface* [5]. Dans cet ouvrage, elle raconte son expérience en tant que patiente d'un département de psychiatrie.

Elle y décrit la transformation de son identité par la maladie mentale, et la perte progressive de sa crédibilité personnelle et professionnelle dans ses rapports avec les thérapeutes et avec sa famille. Lors de la remise de son prix, Manning a souligné qu'aucun thérapeute n'oserait, ni ne devrait, parler de sa maladie mentale s'il souhaitait une carrière universitaire ou administrative dans le domaine de la santé mentale.

Au moment de la fermeture ou de la transformation de ce qu'on appelait des asiles, à quoi voulions-nous vraiment mettre fin ? En général, on s'est contenté de condamner certains responsables ou certaines institutions, sans dénoncer la mentalité de *sauveur* qui était à l'origine du mal et qui refit surface aussi vite, une fois les asiles fermés.

La peur de notre vulnérabilité, ou l'illusion de notre indestructibilité, a maintenu le règne du protectionnisme. C'est ainsi que nous n'avons pas beaucoup cherché à nous doter d'institutions qui permettent l'épanouissement de personnes vulnérables, autonomes et responsables : il nous fallait encore des sauveurs, mais plus modernes. De ces asiles, qu'on a remplacés par des hôpitaux (et des ailes) psychiatriques, on a conservé la mentalité du sauveur et le maintien de la cohésion par la victimisation « thérapeutiquement correcte ».

Dans ce contexte, le comportement du protégé est vu comme adéquat pour autant que ce dernier suit, ou veut suivre « librement » la norme édictée par le protecteur et qu'il n'a pas à remettre en question. À l'instar du scout ou du soldat, le subalterne ne discute pas les règlements et les ordres ; il laisse à ses supérieurs le soin d'évaluer pour lui la pertinence des gestes à poser.

Il n'a, pour sa part, que l'obligation d'obéir. Dès lors, c'est le mettre en contradiction avec lui-même et avec son milieu que de lui demander d'agir en personne responsable, puisqu'il ne peut pas faire de choix et assumer leurs conséquences.

On demande au psychiatre de prescrire un traitement au protégé en crise, mais on ne veut surtout pas qu'il remette en question son modèle relationnel ! Le psychiatre se voit donc forcé de faire *comme si* il donnait au patient un statut de personne responsable mais, par ailleurs, dans une entente tacite avec les personnes concernées, il le traite en irresponsable.

Voici, par exemple, de quelle façon on conçoit le rôle des intervenants, dans un centre d'hébergement, rattaché à un hôpital psychiatrique de jour, censé ne recevoir que des patients capables de prendre soin d'eux-mêmes. La coordonnatrice y a le mandat d'appeler le psychiatre de garde pour examiner tout patient qui lui semble suicidaire à court terme.

Quand je lui demande : «Pourquoi est-ce vous qui m'appelez et non pas le patient lui-même?» elle me répond sans hésitation : «Mais, bien sûr, qu'on ne lui dit pas qu'on l'observe : c'est un milieu de vie!» Et le patient de faire *comme si* on ne l'observait pas, tout en affichant les comportements attendus...

Les deux parties suivent en pratique le code tacite du protecteur et du protégé, tout en affirmant se conformer à celui des personnes responsables. En fait, on leur demande d'avoir un visage à deux faces, pour reprendre l'expression populaire, et de faire comme s'ils n'en avaient qu'une.

1.8 Problèmes physiques ou psychiques?

«Depuis quand croyez-vous ce que vos patients vous racontent?» m'a demandé un jour un collègue orthopédiste après l'examen d'une de mes patientes qui était incapable de marcher. Il me l'avait renvoyée avec cette fameuse formule qu'on retrouve souvent sur les feuilles de consultation : *patiente sans problèmes physiques.*

Il est toujours délicat, de la part d'un psychiatre, de demander une consultation à un collègue d'une autre spécialité dans un contexte d'urgence, alors qu'on ne sait pas encore au juste quels soins cette patiente requiert. Un psychiatre d'urgence doit voir à installer un contexte de coopération avec ses confrères de tous horizons, à défaut de quoi il risque de recevoir, en guise de réponse à sa consultation, un bref : *patient medically clear*, ce qui veut surtout dire : *doctor legally clear.*

Après lecture de son rapport, je l'avais rappelé : comment expliquait-il la difficulté de locomotion de cette femme ? Il avait conclu qu'elle fabulait, parce qu'il n'avait pas su trouver pour lui-même d'explication satisfaisante.

Au moins, il avait eu le mérite de dire ouvertement à quel code il se rapportait — celui des protecteurs —, sauf qu'il me laissait toute la difficulté du double standard entre discours et pratique. Parmi tous les protecteurs, c'est le psychiatre qui se retrouve en fin de compte avec ces victimes d'une incohérence entre le discours et la pratique.

Mon collègue spécialiste croyait détenir la vérité sur cette patiente qui se plaignait de ne pouvoir marcher. Son incapacité à poser un diagnostic, à partir des symptômes rapportés, devenait à ses yeux la preuve d'une fabulation. C'était une malade mentale, et il fallait la retourner là d'où elle venait, c'est-à-dire chez moi.

Si l'on veut qu'un traitement soit efficace, il faut d'abord s'entendre avec toutes les parties concernées, le patient lui-même, son entourage ainsi que les divers intervenants. Ce changement de priorité met fin, en quelque sorte, au rôle de protecteur du professionnel de la santé, parce que toutes les parties prennent alors la responsabilité de la bonne marche du projet.

Ce que le respect de l'autonomie nous force à changer, ce sont les moyens pris pour imposer nos solutions, que nous croyons les meilleures parce qu'elles sont fondées sur la science... et sur nos bonnes intentions.

Le protecteur professionnel se rend souvent compte, avec l'expérience, qu'il lui sera virtuellement impossible d'imposer ses solutions. Par conséquent, il peut en venir à abandonner encore plus rapidement son protégé à ses propres moyens, lequel pourra alors en profiter pour dénoncer la négligence de son protecteur. Or le protecteur n'est pas tenu aux résultats, seulement au choix des moyens, au risque de se perdre dans les dédales du *politiquement et du médicalement correct*.

Dans un tel contexte, la définition du problème doit devenir la même pour tous, et les responsabilités, bien clarifiées. Il n'y a plus de référent central, ni de solution unique. Toutes les parties concernées, y compris le professionnel, sont considérées comme autonomes et responsables, et elles remédient au problème dans un esprit d'ententes à respecter.

1.9 Gestion paternaliste

La gestion paternaliste est un vestige du mythe du protecteur et du sauveur, encore bien présent dans tous nos milieux, en particulier dans le milieu de la santé. Il m'apparaît pertinent de présenter cette gestion paternaliste comme prototype de la gestion du *bon protecteur*. Le psychiatre lui-même peut tomber dans ce piège, même lorsqu'il croit l'avoir évité.

La notion de *bon père de famille* existe au moins depuis l'ère gréco-romaine. Elle est inscrite, notamment, dans le code civil napoléonien et permet à ceux qui sont en position d'autorité de faire la loi en cas de conflit. *Il gère en bon père de famille*, dit-on de celui qui prend des décisions pour le bien des siens.

Si le *bon père de famille* est contesté en tant qu'interprète du sens commun, il essaie de maintenir son rôle en éveillant chez ses protégés la honte et la culpabilité, ou en les disqualifiant, pour les forcer à se soumettre à ses directives. Il peut même les menacer d'abandon ou d'exclusion.

Seule une révolution peut renverser un roi qui dit : *Je suis la Loi*. Dans les milieux domestiques ou cliniques, le *bon père de famille* n'a qu'à faire valoir ses bonnes intentions, à la façon d'un roi, pour décider du bien et du mal, ainsi que des règles qui en découlent.

Les *bons pères de famille* sont aveuglés par leurs bonnes intentions, par le défi des objectifs à atteindre ou par la mission de sauveur qu'ils se donnent. Les *bons pères de famille* gestionnaires ignorent le développement et le maintien d'un contexte favorable à la personne, à plus long terme ; leurs objectifs sont à court terme.

Soutenus par leurs bonnes intentions, ils se sentent porteurs de solutions géniales. Ils sont convaincus de ne nuire à personne, d'autant plus que leurs moyens sont juridiquement sans faille, ou correspondent aux critères de qualité de leur profession ou de leur organisation. Ils suivent à la lettre les protocoles de gestion. Ils ont la conviction de bien gérer leurs affaires, même après que tout ait éclaté.

• Psychiatre *bon père de famille*

Dans les sociétés occidentales, le psychiatre est le spécialiste désigné par la loi pour évaluer l'état mental des personnes qui sont perçues comme inaptes à décider par elles-mêmes. Si un membre de votre famille ou de votre entourage immédiat présente des comportements qui vous font croire à une maladie mentale, et si vous considérez que cette maladie le rend inapte à assumer la responsabilité de ses gestes, vous devez le plus rapidement possible obtenir l'avis d'un psychiatre, ou vous entendre officiellement avec le malade quant à la délégation momentanée de ses responsabilités. Il ne vous est pas permis, sans cette entente, de lui retirer son statut de personne raisonnable (ou responsable), ni d'assumer ses responsabilités.

Il arrive souvent que l'entourage, en constatant cette inaptitude chez l'un des siens, décide alors de le protéger à son insu pour quelque temps, jusqu'à ce que la situation éclate. Quelle surprise alors pour le protégé de se voir imposer un examen psychiatrique, alors qu'il croyait que tout allait bien ! Le protecteur, aveuglé par ses bonnes intentions et par sa crainte d'affronter le problème, n'a pas vu les effets délétères de son changement d'attitude envers le protégé. Ses mesures protectrices, visant à compenser certains comportements inadéquats, ont fait croire au protégé qu'il était bien portant. D'où, en partie, la négation de sa maladie.

De la même manière, les cliniciens acceptent des comportements de plus en plus illogiques et inadéquats, qu'ils expliquent par les problèmes personnels ou la maladie de leurs patients ainsi traités ; ceux-ci apprennent à exiger des autres de plus en plus de compréhension et ne se sentent bien qu'avec des thérapeutes ; ces mêmes thérapeutes en viennent à jouer les agents protecteurs et contrôleurs de leurs patients, tout en se sentant contrôlés par eux.

Des familles sont renvoyées chez elles avec leur malade après un examen psychiatrique, en urgence, tout en restant convaincues de l'inaptitude de leur protégé à être responsable de lui-même. Dans ce cas, le doute manifesté par l'entourage n'a pas été considéré comme une information prioritaire. Le psychiatre, avec sa mentalité de sauveur, a disqualifié cette information clé en imposant *sa* vérité, à la façon d'un *bon père de famille*, sur l'état mental du patient, sans indiquer clairement le risque d'erreur dont sa pratique ne peut pourtant être exempte.

Dans ces conditions, il devient très difficile pour la famille de revenir en consultation si le problème n'a pas été reconnu à la première visite. Cette prétention à l'infaillibilité dans les urgences — qui sème la confusion — devrait être remplacée par une approche qui privilégie l'accord des parties concernées sur une réalité commune. Mais encore faudrait-il réévaluer les attentes des urgentologues généraux quant aux traitements psychiatriques, entre autres, l'hospitalisation, la pharmaco-thérapie et la psychothérapie.

Il est surprenant de constater à quel point les intervenants et les familles, tout autant que les patients, croient encore à l'effet thérapeutique d'une hospitalisation. Aucune recherche scientifique n'a pourtant corroboré cette croyance. Celle-ci provient peut-être du fait que bien des humains croient encore aux vertus de la purgation, et qu'à force d'utiliser de grands moyens, la maladie disparaîtra. Dans cette optique, l'hôpital semble alors le lieu idéal où se débarasser de celle-ci.

L'hospitalisation m'apparaît maintenant comme un lieu de protection ou de repli pour réorganiser le plan d'action de toutes les personnes concernées. Elle ne devrait pas durer plus de quelques jours et surtout ne pas être considérée comme un moyen de traitement. Il faut apprendre à changer nos conditions de vie en vue de favoriser la santé, et non la maladie, et nous rappeler que plus longtemps nous restons malades, mieux nous apprenons à le rester.

Plusieurs se privent aussi d'outils thérapeutiques, tels que les médicaments, comme s'ils étaient en compétition avec eux ; ils n'osent pas s'en faire aider. D'autres, à l'opposé, ne se fient qu'aux médicaments et sont alors fort déçus de leur manque d'efficacité. Nous, psychiatres, avons cependant à réévaluer notre façon de prescrire : n'est-il pas aberrant de faire des ordonnances à des patients sans avoir établi d'abord un rapport de collaboration avec eux ? Si un tel rapport n'existe pas, le médicament risque alors de devenir une source importante de conflits.

Quant à la psychothérapie, j'ai souvent l'impression qu'on l'utilise afin d'éviter d'avoir à s'attaquer aux vrais problèmes que sont les contextes de vie destructeurs et dévalorisants des personnes que l'on traite. On n'a pas encore osé évaluer les effets néfastes de certaines psychothérapies, soit en raison de leur contenu, soit en raison de la fausse impression de changement qu'elles peuvent momentanément donner.

Les promesses de mieux-être de beaucoup d'entre elles laissent perdurer des problèmes qui rendent la vie de plusieurs bien misérable, et la réorganisation encore plus difficile.

1.10 Compréhension du transfert

«Le transfert désigne, en psychanalyse, le processus par lequel les désirs inconscients s'actualisent sur certains objets, dans le cadre d'un certain type de relation établi avec eux et, éminemment, dans le cadre de la relation analytique. Il s'agit là d'une répétition de prototypes infantiles vécue avec un sentiment d'actualité marqué. Le transfert a une double dimension d'actualisation du passé et de déplacement sur la personne de l'analyste [6]. »

Les théories qui émanent directement de la double morale du protecteur ont fait de l'analyste le roi de la séance. Lorsque ce rôle de roi, de celui qui sait, est accordé à la suite d'une entente claire sur le cadre thérapeutique de l'analyse, les dangers d'abus sont moins nombreux.

La protection de soi fait partie des règles d'une relation symétrique alors que, dans la relation complémentaire, elle est déléguée au thérapeute, en position de pouvoir. Le danger est toujours grand de se laisser détruire par l'autre quand on lui confère ce statut de celui qui doit tout savoir, ainsi que je l'ai constaté avec tant de femmes qui ont donné ce rôle à l'homme *de leur vie*, ou qui s'épuisaient à lui reprocher de le mal jouer.

À cause de cette notion de transfert, trop de thérapeutes agissent avec leurs patients sans se préoccuper de la communication présente. Lorsque le contre-transfert (le transfert du thérapeute sur le patient) est négatif, il entraîne des diagnostics (de troubles de la personnalité) dont eux-mêmes n'aimeraient pas être l'objet.

Si le patient fait un transfert négatif et qu'il demande à changer de thérapeute, ce transfert continue d'être interprété selon le passé du patient, et non pas selon ce qui se passe dans la relation actuelle patient-thérapeute, selon la prémisse que le thérapeute sait de quoi il parle, ce qui n'est pas le cas du patient !

Il peut aussi arriver que le thérapeute, en essayant d'être dans un état de neutralité bienveillante, maintienne une relation *comme si* il portait intérêt à ce que le patient raconte, alors que dans les faits, il le juge fade et sans relief.

Pour défaire le transfert du protégé sur le protecteur, qu'il soit bon ou mauvais, il importe de favoriser les relations symétriques, tout en rappelant la règle du respect de l'autonomie et de la vulnérabilité. Lorsqu'elle se sent blessée ou lésée, chacune des parties doit en informer l'autre et, si nécessaire, suspendre la relation tant qu'il n'y a pas d'entente. Nous reviendrons sur ces ruptures relationnelles reliées à la mobilité et à la non-violence relationnelle.

Bien des parents ou des gestionnaires imitent les psychothérapeutes lorsqu'ils écoutent, d'une oreille distraite, leurs enfants ou leurs employés, sans s'engager vraiment auprès d'eux, et ce, sous prétexte que ventiler leur trop-plein leur fera du bien. Il est facile de les reconnaître : après la ventilation, les gens ont l'impression d'avoir parlé dans le vide…

58 AIDER SANS NUIRE

Ironie mise à part, revenons à un problème important qu'il m'a été donné d'avoir avec mes patients, ou d'observer chez d'autres intervenants. En cas de transfert, le thérapeute peut facilement se retrouver coincé par l'attitude du patient qui veut le voir agir en justicier plutôt qu'en médiateur. Une équipe qui travaille dans le respect de la règle de l'autonomie peut aider à transformer ce rapport. Le patient, tout comme le thérapeute, ne sauraient se sortir seuls d'une relation devenue victimisante pour les deux parties. Un autre invervenant pourra cependant faire comprendre au patient qu'étant donné ses attentes d'un justicier, la relation est vouée à l'échec.

Si le thérapeute acceptait d'être ce justicier, il maintiendrait son patient dans l'incapacité de mettre fin aux relations abusives dans lesquelles il continuerait d'évoluer de plus belle.

La rencontre du patient avec les siens, et ce, dès les premiers instants du traitement, permet au thérapeute d'asseoir son rôle de médiateur et de mettre sur la table les règles d'autoprotection.

1.11 Changement de jauge

En cette fin de siècle, caractérisée par la mondialisation et les luttes pour la reconnaissance des droits de la personne, nous sommes tous à la recherche de nouveaux rapports humains. Cette prérogative individuelle, selon laquelle chacun peut changer la norme des comportements, amène un changement de jauge qui permet aux personnes plus vulnérables d'entrevoir la possibilité de mettre fin à leur rôle de protégé.

Les personnes autonomes et responsables apprennent à reconnaître leur vulnérabilité propre et le besoin qu'elles ont de pouvoir vivre dans un contexte où s'applique le principe d'autoprotection. Ce principe implique que l'individu autonome participe aux changements des règles qu'il accepte de suivre, et qu'il travaille au maintien de l'équilibre des groupes auxquels il appartient.

Les normes comportementales perdent de leur caractère universel, pour laisser place à l'esprit des ententes inter-individuelles, selon la règle du respect de l'autonomie de chacun, et dans le cadre des lois et chartes régissant les groupes auxquels l'individu appartient. Ce changement de jauge nous oblige à connaître un tant soit peu le vocabulaire et la syntaxe de la communication, faute de quoi, nous risquons de devenir les analphabètes de cette fin de siècle.

Avec la reconnaissance progressive des droits de la personne, le rôle de l'État se modifie. Sans jouer directement le rôle de protecteur des citoyens, l'État doit faire en sorte que les souffrants et les démunis aient la pleine jouissance de leurs droits. Il doit exiger que les diverses communautés aient un plan d'entraide pour les citoyens en difficulté, et que ce plan leur laisse la responsabilité de leurs affaires et leur assure une participation au bien de l'ensemble.

Le protecteur parle de responsabilisation devant les demandes trop pressantes de ses protégés. Son «idée» est qu'ils répondent de leurs actes et qu'ils assument les conséquences de leurs décisions, tout en continuant lui-même d'appliquer le principe autoritaire de la carotte et du bâton. C'est le nouveau paradoxe dans lequel nous nous enlisons de nos jours. Quand nos dirigeants devienvront-ils cohérents et avoueront-ils leur impuissance à nous sauver? Pourquoi les encourageons-nous tant à nous maintenir dans ce leurre millénaire du sauveur?

Tableau 2

VALEURS ET COMPORTEMENTS

CULTURE PROTECTIONNISTE	CULTURE DE LA COOPÉRATION
On multiplie les contrôles et on ajoute sans cesse des ressources pour pallier les problèmes et la stagnation du système.	La priorité est donnée aux processus, aux niveaux d'intervention et aux boucles de rétroactions ; c'est la recherche constante de la plus simple et de la plus ajustée des solutions.
Lors des tensions, on recherche des coupables et on fait table rase. On reprend à zéro.	Rappel de la RAAV, la règle de la coopération lors des tensions. On continue dans la transformation.
On est « pour ou contre ».	On est « avec ».

L'ÊTRE HUMAIN	L'ÊTRE HUMAIN
Suridentification de l'humain à ses attributs.	Double identité de l'humain : un esprit unique dans des multiples rôles.
Deux espèces humaines non assimilables : les bons ou les méchants, les forts ou les faibles, les protecteurs ou les protégés, les responsables ou les imbéciles, les indépendants ou les dépendants, etc.	L'être humain, conscient de son autonomie, doit voir à se faire confirmer comme un être unique, sentant, pensant, agissant dans les divers rôles qu'il tient selon les contextes où il évolue.

VALEURS ET COMPORTEMENTS (suite)

CULTURE PROTECTIONNISTE	CULTURE DE LA COOPÉRATION
Ceux qui sont en position supérieure ont le droit d'utiliser des moyens violents envers certains pour le bien de la majorité et pour la stabilité de l'ensemble. C'est le modèle à double standard.	Il est important pour le sujet de veiller à se donner des moyens de protection et des contextes adéquats. Il doit voir simultanément à son intérêt et à celui de son groupe qui est formé de gens vulnérables, autonomes et interdépendants.
MOYENS DE CONTRÔLE DU SUJET PROTECTEUR OU PROTÉGÉ	**MOYENS DE PROTECTION DU SUJET AUTONOME**
Blâme suscitant la honte ou la culpabilité.	Rappel de la règle du respect de l'autonomie et de la vulnérabilité de chacun.
Disqualification ou rejet des sujets entraînant le phénomène de la surdité centrale et des comportements antisociaux, maladifs ou cyniques.	Le maintien de la mobilité et des réseaux du sujet lui permet de choisir ses contextes et de faire des ruptures dans le respect de chacun.
Changement unilatéral des règles par le chef qui est le seul à détenir le plan.	Recherche d'une logique commune à travers les diverses logiques; clarification des rôles, des territoires et des responsabilités lors des tensions.

VALEURS ET COMPORTEMENTS (suite)

CULTURE PROTECTIONNISTE	CULTURE DE LA COOPÉRATION
Le chef est convaincu que la majorité des humains ne peuvent s'autogérer. On doit les contrôler par un système de récompenses et de punitions. Le chef se met ainsi au-dessus du groupe en appliquant le principe de la carotte et du bâton.	Autonomie, responsabilité et participation vont ensemble. On assume les conséquences de ses choix et on se sent d'autant plus intègre que l'on sait sa participation indispensable à la bonne marche des projets. Sentiment de solidarité. Participation aux profits et pertes du groupe.
INDICES DE LA VICTIMISATION	**INDICES DE LA COOPÉRATION**
Discours de blâme et menace d'abandon ou d'expulsion provoquant honte et culpabilité. Mentalité de disqualification avec surdité centrale entraînant des comportements maladifs, antisociaux ou cyniques.	Chacun parle en son nom personnel sans « vanité » ni humiliation, avec un sentiment d'intégrité et de compétence ; c'est dans ses constats d'impuissance avec les personnes concernées que le sujet participe à la transformation des systèmes auxquels il appartient.
Sentiments de culs-de-sac.	Augmentation croissante des choix.
Preuves de souffrance et de bonnes intentions ; judiciarisation des conflits.	Rencontres de concertation des personnes concernées pour la recherche d'une logique commune dans le respect de l'autonomie de chacun lors des conflits et avant même que ceux-ci ne surviennent.

VALEURS ET COMPORTEMENTS (suite)

CULTURE PROTECTIONNISTE | CULTURE DE LA COOPÉRATION

Recherche des coupables ; esprit de méfiance et de vengeance.

Partage des risques dans les projets ; incontournabilité du travail d'équipe.

Promotion de l'oubli de soi ou de la soumission pour le bien général.

Possibilités de rupture et recherche de nouveaux territoires.

Recherche du remède ou du thérapeute miracle.

Notion de coopération dans les traitements afin de les rendre plus efficaces.

2

Théories
de la communication
et des relations

Les théories de la communication et de l'information ainsi que les théories systémiques permettent de comprendre les processus de contrôle et de victimisation entre protecteurs et protégés, et leurs effets délétères sur l'identité et l'intégrité de l'être humain.

• De la conscience individuelle à l'esprit des ententes

Nous avons privilégié la conscience individuelle au détriment des règles et des ententes. D'après l'idéologie selon laquelle l'être humain se sait dans le droit chemin quand il ne ressent ni honte ni culpabilité, on a qualifié de *sociopathe* quiconque pouvait poser un geste antisocial sans ressentir de culpabilité.

On le disait *sans conscience* : malgré son appellation, il n'était pas perçu comme malade, mais plutôt comme *méchant* et donc condamnable. Durant mon temps de résidence, l'exclusion des sociopathes du monde psychiatrique m'avait convaincue du manque de cohérence de nos théories, et de la nécessité de chercher un autre modèle que celui de la psychanalyse pour répondre aux demandes qui nous étaient faites.

En pratique, on excusait de leurs méfaits et de leurs comportements contrôlants ceux que l'on déclarait «malades» — *ce n'est pas leur faute, c'est leur inconscient qui les pousse à mal agir* —, alors que les sociopathes étaient tenus responsables de leurs gestes et punis. Mais c'était du pareil au même : quelle sorte de respect avions-nous pour les malades en les traitant en irresponsables, et en ne donnant aucune chance aux sociopathes ?

Selon cette perception de la responsabilité personnelle, chaque individu devait trouver la voie de la vérité en son âme et conscience (et veiller à ce que, dans le groupe, son vis-à-vis ait une même lecture «correcte»), sous peine d'être exclu du groupe et pénalisé — son entourage pouvant «bénéficier» du même traitement.

Madame Dempster, dans *The Deptford Trilogy* [7] de Robertson Davies, s'était donnée, soi-disant dans un but charitable, à un itinérant à la recherche d'une compagne d'un soir. Madame Dempster disait avoir suivi sa conscience : elle n'avait pas eu cette aventure pour le plaisir, mais par sacrifice, lequel avait comme par miracle transformé le sans-abri en honnête homme, profondément préoccupé par le bien.

Malheureusement pour elle et son mari pasteur, le village avait jugé, de façon unanime, cette *charité* comme impardonnable. On avait condamné la pauvre femme à vivre dans une maison isolée du village, de même que son mari déchu de ses fonctions et leur jeune fils qui, par réaction à ce rejet, avait quitté les siens au début de l'adolescence.

2.1 Judiciarisation et culture protectionniste

La reconnaissance progressive des droits de la personne (encore que ces droits soient mal intégrés dans notre culture) a fait grimper en flèche, ces dernières années, la revendication des droits. Au lieu de chercher un terrain d'entente, chacun entend prouver que l'autre a tort et que lui a raison. Ce comportement durera probablement jusqu'à ce que tous se retrouvent devant les tribunaux !

Déjà, en ce qui a trait aux problèmes de santé, les assureurs ne savent plus comment contrer cette obsession de la preuve et la hausse des coûts qui en résulte. La maladie mentale, maintenant reconnue comme une vraie maladie, devient l'un des derniers refuges — et non le moindre — pour les experts en médecine du travail qui veulent de «vrais» symptômes et de «vrais» malades.

Dans mes premières années de pratique, ce sont surtout des femmes qui demandaient une aide psychiatrique régulière mais aujourd'hui les hommes consultent tout autant. Leurs motifs sont les mêmes : ils cherchent presque tous, ou bien à corriger leur attitude, ou bien à trouver un coupable... plutôt que de penser changer leurs rapports aux autres. Ils se maintiennent dans un contexte propice à la maladie. Je comprends qu'ils veulent améliorer la situation, mais ils attribuent l'origine de leur mal soit aux autres, soit à eux-mêmes, jamais au contexte (et aux valeurs) dans lequel ils vivent.

Quand un patient dit qu'il ne blâme personne d'autre que lui-même, c'est qu'il a l'illusion d'avoir adopté un autre groupe de valeurs, mais l'impasse reste la même : c'est l'autre pôle de la même religion.

Étant donné l'importance du contexte, le patient ne saurait surmonter ses problèmes relationnels ou de santé, sans reconnaître que la perte de son autonomie et de sa crédibilité a de graves conséquences : il lui est, en effet, impossible d'être soumis à la volonté de quelqu'un d'autre ou d'une organisation sans voir, à long terme, se dégrader sa personnalité, ou risquer de s'enliser dans la maladie ou dans la violence.

D'ordinaire, la majorité des individus tentent de retrouver leur intégrité en prenant conscience du contrôle abusif excercé sur eux par certaines personnes, surtout si ces abuseurs les ont rejetés comme des chiffons. Ce faisant, ils se maintiennent dans le contexte de violence d'où on les a rejetés en entrant dans le cycle de la victimisation secondaire. Ils tentent de prouver qu'ils ont été des victimes en dénonçant les abuseurs. En utilisant les moyens de ces derniers, ils se maintiennent alors dans le jeu sans fin des relations de contrôle.

Paradoxalement, même quand les victimes ont l'impression qu'un autre les comprend et les respecte, elles prennent facilement (mais à leur insu) le rôle d'abuseur. Les rôles de victime et d'abuseur sont complémentaires. Une victime est toujours étonnée d'apprendre qu'elle contrôle ses proches et en fait des victimes à son tour.

Afin d'éviter tous ces pièges, les quelques jalons théoriques présentés dans le deuxième chapitre nous seront fort utiles. Ils nous permettront de reconnaître — et quitter pour de bon — les *patterns* relationnels de la culture du protectionnisme.

2.2 À la découverte du modèle systémique

Les sciences de l'information et de la communication, l'approche systémique et l'approche cybernétique appliquée aux vivants, s'intéressent toutes à la circulation de l'information entre les éléments d'un système ou entre divers systèmes.

C'est ce qu'on exprime dans le vocabulaire de tous les jours lorsqu'on dit : «Il n'y a rien à faire, c'est le système», pour désigner toutes ces forces innommables qui nous maintiennent dans du pareil au même, peu importe nos efforts pour changer la situation. Pour les spécialistes, la définition la plus courante d'un système est celle d'un *ensemble d'éléments en interaction telle qu'une modification quelconque de l'un d'eux entraîne une modification de tous les autres* [8].

Paul Watzlawick et ses collaborateurs ont distingué l'impact des modifications dans les systèmes humains selon qu'elles portaient sur les éléments ou sur les interactions elles-mêmes.

Autrement dit, le changement d'un élément qui ne modifie pas le rapport d'une unité à l'autre n'apporte pas de changement réel alors que la modification des interactions crée un changement réel. La substitution d'un élément par un autre du même type ne change pas l'équation et ne produit pas de changement véritable.

Un système vivant tient à maintenir sa stabilité et à assurer la permanence de son organisation par diverses transformations. C'est pourquoi il nous arrive de penser avoir observé des changements qui n'en sont pas : ils visent uniquement à maintenir la stabilité du système, alors qu'un changement réel serait la transformation du système lui-même (comme la transformation d'un système protectionniste en un système de coopération).

Le concept de système — *ensemble* et *système* ont la même signification dans ce texte — nous permet non seulement d'identifier un élément afin de le décrire, mais de reconnaître le *pattern* d'interaction entre celui-ci et d'autres éléments. Il est extrêmement utile de pouvoir identifier les ensembles d'éléments en interaction, et les niveaux de complexité des ensembles reliés (en processus de rééquilibrage ou de transformation), pour apprendre à distinguer les vrais changements des pseudochangements; ou encore pour miser sur l'effet de vague de nos interventions dans la gestion des problèmes.

Depuis Descartes, le modèle scientifique qui a prévalu est celui du schème analytique linéaire de cause à effet. Il nous a permis et nous permet encore d'analyser le monde inerte (ou certains aspects linéaires du monde des vivants), mais il est insuffisant pour la compréhension des phénomènes complexes des êtres vivants. Modifier la cause pour modifier l'effet est une modélisation du changement qui nous permet de comprendre pourquoi, par exemple, tel antibiotique peut éliminer tel microbe, ou encore de répondre à la question : *De quoi est-ce fait*?

S'en tenir à ce modèle amène bien des cliniciens à qualifier de menteurs ou d'hystériques les malades qui les consultent pour des symptômes impossibles à regrouper dans un ensemble connu, et qui ne répondent assurément pas comme prévu aux traitements scientifiques.

Pour ces cliniciens, ces personnes sont affectées d'un mal imaginaire. En posant de tels diagnostics, ces professionnels de la santé créent un contexte relationnel pathogène sans même s'en rendre compte, s'ils n'ont aucune idée des systèmes humains.

Nous verrons plus loin ce que Gregory Bateson et Jean-Louis Lemoigne ont apporté dans notre compréhension de ces réalités souvent difficiles à percevoir que sont les interactions et les systèmes mais voici dès maintenant quelques-unes des idées de ces théoriciens.

Pour identifier les éléments d'un ensemble, sa structure évolutive et sa complexité, Gregory Bateson [9], bien connu pour sa théorie du double lien, a mis en évidence les *structures qui relient* («*patterns that connect*»), constituant ainsi le fondement scientifique et théorique de l'écologie et des interactions dans les systèmes vivants dont l'humain fait partie.

Pour décrire la modélisation systémique, Jean-Louis Le Moigne [10] pose la question suivante : *Qu'est-ce que ça fait?*

Il nous demande de bien saisir la différence entre les deux manières de raisonner — la logique disjonctive du *ou* (méthode analytique) et la logique conjonctive du *et* (approche systémique des phénomènes vivants) — qui sont à l'origine des questions *de quoi est-ce fait?* et *qu'est-ce que ça fait?*

Dans l'action, pour saisir les boucles de rétroaction, les liens évolutifs entre les divers éléments, nous devons porter toute notre attention à la finalité du projet. La cause initiale, le *pourquoi*, devient secondaire alors que le *comment* arriver au but avec les personnes concernées devient prioritaire.

En d'autres termes, la question que nous devons toujours avoir en tête dans le feu de l'action est : *Vers où allons-nous avec les moyens que nous utilisons pour régler un problème ?*

2.3 Application quotidienne du modèle systémique

Bien des gestionnaires croient appliquer la logique conjonctive systémique, mais ils régressent rapidement vers une approche linéaire autoritaire lorsque de réels problèmes surviennent. Les programmes de qualité totale (qui prônaient le partenariat et la coopération) en ont été des exemples flagrants : dans les situations de crise, la direction imposait sa volonté et revenait au modèle autoritaire ; ce qui en a amené plusieurs à dire que le discours sur la participation n'était qu'un moyen vicieux pour mieux contrôler les employés.

En médecine, on a parlé d'approche biopsychosociale et holistique, mais en continuant de façon générale à travailler avec le modèle linéaire.

En psychiatrie et dans les services psychosociaux, un patient peut se trouver morcelé entre dix intervenants sans participer d'aucune manière à la planification de son traitement ! Les équipes d'intervenants se permettent même de se réunir pour s'entendre entre eux sur un plan d'action, sans la présence du patient et de sa famille alors que ce plan les concerne directement.

Il y a trois raisons principales qui peuvent expliquer le retard des psychiatres (et des autres professionnels de la santé) à développer une approche intégrée systémique.

• L'approche systémique, un dernier recours ?

L'approche intégrée systémique a été perçue comme étant réservée aux thérapeutes familiaux et aux intervenants un peu marginaux qui abordaient les problèmes d'une façon inattendue. Elle n'était à envisager que lorsque les autres méthodes s'étaient montrées inefficaces et qu'il n'y avait plus rien à perdre.

En réalité, même parmi ceux qui croient pratiquer une approche holistique parce qu'ils examinent toutes les parties d'un problème, plusieurs ne cherchent pas à faire le lien entre la personne souffrante, son milieu et les valeurs qui y sont véhiculées.

L'évaluation du suicidaire en est un bel exemple. Dans notre pratique psychiatrique, l'information que donne la famille est considérée comme secondaire en comparaison de l'évaluation objective du spécialiste. Lors de l'évaluation, si le psychiatre ne décèle pas une dépression majeure, ou d'autres troubles psychiatriques connus dans la problématique suicidaire, il peut décréter alors que le risque de suicide n'est pas sérieux — même si la famille reste convaincue du contraire et même si tous les indices de risque utilisés par le psychiatre n'ont pas été prouvés scientifiquement.

Et si jamais le patient attente à sa vie dans les jours qui suivent, on dira que c'était imprévisible, sans remettre en question la méthode de travail privilégiée, et ce, malgré la frustration de la famille de n'avoir pas été entendue. L'inverse peut aussi arriver : on décide de protéger le suicidaire en l'hospitalisant et on s'étonne ensuite de ses menaces de suicide répétées. Mais c'est ce qu'il a appris à faire pour qu'on l'aide !

Dans la compréhension systémique des comportements, toutes les parties concernées (incluant le suicidaire) participent au plan d'intervention et à l'évaluation des risques : n'est-ce pas le patient et son entourage qui assumeront en premier lieu les conséquences des décisions prises à leur égard ?

On a trop misé sur les thérapies familiales, plutôt que sur le développement d'une approche qui englobe le sujet, son entourage ainsi que les valeurs qui sont les leurs. Parmi les personnes qui consultent, rares sont celles qui veulent d'une thérapie familiale mais la plupart souhaitent gérer leurs problèmes sans violence et de façon plus efficace.

• Opposition entre le psychologique et le biologique

Dans sa découverte du monde émotionnel, Freud s'est servi d'un modèle énergétique pour décrire l'inconscient et certaines opérations mentales, telle par exemple la façon dont les pulsions refoulées de l'inconscient risquent sans cesse de refaire surface, advenant l'érosion d'une barrière, d'un mécanisme de défense.

Comme elle recouvrait l'ensemble des phénomènes psychiques (motivations, peurs, rationalisations, émotions), on a considéré la grille psychanalytique comme étant la seule pertinente à l'étude des états d'âme des personnes souffrantes, ce qui n'est guère étonnant quand on sait que, au début du siècle, la psychanalyse a sauvé la psychiatrie de sa dérive asilaire.

La grille psychanalytique nous amène toujours à détacher le patient de son milieu et à le traiter en dehors de ses contextes de vie. L'analysé apprend souvent à s'isoler des siens, plutôt qu'à s'en protéger en découvrant sa mobilité.

Par ailleurs, la découverte de psychotropes de plus en plus raffinés et efficaces a convaincu les psychiatres que le retour à la santé du malade mental passe par une médication appropriée. La psychiatrie a ainsi retrouvé sa place en médecine, et cet outil moderne que sont les nouveaux psychotropes a redonné aux spécialistes de la maladie mentale le sentiment d'opérer avec une approche scientifique efficace. Mais aujourd'hui encore, la dichotomie créée et maintenue par ces deux grandes tendances, psychodynamique et médicamenteuse, retarde ce qui aurait dû être fait il y a trente ans dans le monde de la psychiatrie à la lumière des théories systémiques.

• Difficulté de concrétiser l'idée

La troisième raison du retard des psychiatres à développer une approche intégrée systémique, et probablement la principale, c'est l'antinomie entre notre facilité à formuler des idées et à trouver des solutions, et notre difficulté à voir clairement le processus menant de l'idée à la réalisation d'un plan.

Dans la perspective du respect de l'autonomie du sujet, il ne s'agit pas tant d'avoir de bonnes idées que de savoir établir un contexte pour la gestion d'un problème qui reconnaisse l'autonomie et la responsabilité des parties concernées. Il y a loin de la coupe aux lèvres : il y a souvent toute une marge entre la solution proposée et les moyens que prendra le spécialiste pour y arriver. Et ce, parce que nous confondons le changement causé par une force d'impact et le changement engendré par l'échange d'information, qui relèvent de deux principes scientifiques tout à fait différents, l'approche mécaniste d'une part, et l'approche systémique de l'autre.

Pour nous aider à bien distinguer les deux principes à l'origine du changement dans notre vie quotidienne, Gregory

Bateson et Paul Watzlawick font la comparaison entre le coup de pied porté contre un caillou et le coup de pied qu'on donne à un chien.

On peut toujours faire partir le chien en orbite par un coup de pied, comme on pourrait le faire pour un caillou, s'amuse à raconter Bateson; mais en général il faut s'attendre à tout genre de réponses de la part du chien, selon ses apprentissages antérieurs et diverses variables contextuelles.

Dans nos rapports aux autres, nous maintenons la confusion entre ces deux principes de changement, en portant principalement notre attention sur la description des objectifs, alors que les moyens que nous prenons font fi du processus du changement chez les systèmes vivants.

Par exemple, si nous voulons stimuler quelqu'un qui nous paraît passif et l'amener à se passer de nous, nous devons nous employer à le confirmer dans sa capacité d'agir par lui-même, autrement bien sûr qu'en le poussant à agir ou en le méprisant. En ce cas, bien entendu, on pourrait dire que notre facilité à nommer l'objectif nous aurait fait ignorer l'orientation des moyens utilisés dans la poursuite de celui-ci, et la nature que prend le projet avec le genre de moyens utilisés. C'est le *Qu'est-ce que ça fait ?* ou le *Vers où allons-nous avec ces moyens ?*

C'est ce qui arrive le plus souvent : nous avons tendance à miser sur le contrôle des autres pour résoudre les problèmes, plutôt que sur l'information que nous nous donnons les uns les autres sur notre identité et nos compétences à agir dans nos projets communs. Comme si on était des pierres et qu'on n'allait pas s'opposer à ce contrôle par toutes sortes de ruse !

En faisant le parcours de la découverte de la pensée systémique, le lecteur pourra mieux saisir la différence entre la logique conjonctive (fondée sur les liens entre les êtres vivants et les ensembles dont ils font partie, maintenus ou transformés par la circulation de l'information) et la logique disjonctive cartésienne (fondée sur l'observation des liens linéaires de cause à effet entre des éléments bien définis).

2.4 De la première à la deuxième cybernétique

Inspirés des théoriciens de l'École de Palo Alto [11], les systémiciens ont d'abord attiré notre attention sur les mécanismes de maintien des comportements, plutôt que sur le processus de décision de l'être humain devant un problème.

À la recherche de théories et de pratiques qui permettent de travailler au centre de l'information et de l'action dans les urgences, je suis restée sur ma faim avec les stratégies thérapeutiques développées à partir des notions systémiques.

Je pense ici aux thérapies familiales, aux thérapies brèves et aux approches paradoxales. Elle se sont montrées intéressantes, mais peu utiles dans des conditions d'urgence pour intervenir sur le sujet et son milieu, à court et à moyen terme.

En tant que psychiatre d'urgence, je me suis donnée cette double fonction : aider le malade à faire des projets de vie et à s'y intéresser ; lui apprendre à se protéger sans se servir de sa maladie comme justification.

Comme la maladie m'est toujours apparue comme quelque chose de très privé, je crois que c'est au patient de choisir les modes de traitement qui lui conviennent, à partir de l'information donnée. Dans une urgence, à cause même de nos interventions, nous pouvons sentir la pertinence ou la nécessité d'un changement réel pour épargner à celui qui nous consulte de stagner dans un contexte de violence.

C'est à partir de l'implication de l'urgentologue que surviendront de réels changements. Mais ce dernier doit avoir comme balise le maintien ou l'élargissement de sa marge de manœuvre et de celle des autres.

• Vers la deuxième cybernétique

C'est à Heinz von Foerster, ce mathématicien autrichien immigré aux États-Unis après la Deuxième Guerre mondiale, qu'on attribue le concept de cybernétique de deuxième manière qui nous permet d'inclure l'observateur dans le système observé. Jusqu'alors, on s'était limité à décrire les systèmes de l'extérieur, en clarifiant leurs conditions de stabilité (morphostase).

Avec la deuxième vague de l'approche systémique, on a étudié comment les systèmes évoluaient et engendraient de nouvelles structures (morphogénèse). On a donc appelé *cybernétique de second ordre* ou *de deuxième manière*, le modèle d'intervention dans lequel l'intervenant devient le *tiers inclus*, pour utiliser l'expression de Le Moigne [12] dans ses exposés sur la modélisation des systèmes complexes. On ne peut agir sur un système sans en faire partie, même si ce n'est que de façon temporaire.

Cette cybernétique deuxième manière peut servir de grille pour tous les urgentologues de la Terre : le parent qui apprend que le test de grossesse de sa fille de 16 ans est positif, le gestionnaire que l'on informe de la fermeture de son entreprise pour la fin de l'année, ou le médecin qui prend conscience du projet de suicide de son patient. L'urgentologue fait partie du problème et de sa solution.

Dans un cas d'urgence cardiorespiratoire, on tente de réanimer un sujet dans la minute qui suit son arrêt cardiaque. La rapidité de l'intervention est le premier facteur de son efficacité. Étant donné qu'on ne peut pas planifier... un arrêt cardiaque, on voit maintenant à ce qu'une bonne partie des citoyens aient des notions élémentaires de premiers soins en réanimation cardiorespiratoire.

Il en est de même pour les situations de crise que peuvent vivre les hommes et les femmes de tout âge dans leur milieu de vie : une intervention immédiate en changera l'évolution, à court et à long terme. Si les interventions d'urgence ne se font pas adéquatement ou rapidement, les mécanismes de maintien du contexte de victimisation se renforcent, au détriment de tous.

Rappelons que le terme urgentologue général désigne toute personne mise en cause dans un problème ; et qu'un problème est une situation à laquelle on ne voit pour l'instant aucune solution...

2.5 Modélisation systémique et changement

Un axiome est *une vérité indémontrable mais évidente pour quiconque en comprend le sens* [13].

Dans *La modélisation des systèmes complexes* [14], Jean-Louis Le Moigne propose trois axiomes à la base de la modélisation systémique. Je suggère au lecteur qui désire en approfondir la définition de consulter le texte original, car les termes utilisés par Le Moigne, dans l'énoncé de ces axiomes, sont par trop spécialisés pour les rapporter ici.

En voici cependant les éléments essentiels, afin de faciliter la tâche de l'urgentologue, qui est de transformer un contexte de victimisation en un contexte de coopération. L'intérêt de nous entendre sur les systèmes complexes, c'est de pouvoir saisir la fonction des systèmes dans lesquels nous évoluons, et de nous fournir des bases théoriques en vue de concevoir des outils efficaces d'intervention et de changement.

L'urgentologue — le tiers inclus — doit faire son diagnostic systémique en identifiant la direction dans laquelle s'engagera le système observé, dont il fait lui-même partie : vers plus de stagnation, ou vers l'évolution des individus intéressés. Quelles sont les interactions en cours dans ce système ? Quelles sont les valeurs qui empêchent les divers acteurs de trouver des solutions favorables à leur épanouissement ?

Je pense ici à une infirmière qui, à la séance de vaccination de l'école, entend une fillette de 10 ans demander à son père : «Papa, vas-tu encore coucher avec moi ce soir ?»

Quelques instants auparavant, quand l'infirmière l'avait questionnée sur son état général, l'enfant avait répondu qu'uriner lui faisait mal. En voyant l'expression du visage de l'infirmière, le père a souri de façon à rendre la remarque innocente.

La salle d'attente était pleine et on avait pris du retard. Elle n'avait pas noté le nom de la fillette. Ce n'est qu'en soirée, revenue chez elle, qu'elle s'était sentie troublée : s'agissait-il d'un ensemble d'abus ou d'une donnée erratique ?

Elle savait bien que, pour une enfant prise dans une relation incestueuse — et qui n'a pas tellement les moyens d'en parler —, l'infirmière scolaire peut être sans aucun doute une personne clé.

Afin de mieux réagir aux indices d'une telle problématique, il eût fallu que l'infirmière connaisse les valeurs du milieu et les ensembles comportementaux qui en découlent.

Il ne s'agit pas de faire le procès de qui que ce soit, mais il importe de savoir que, dans les milieux où il est interdit de chercher l'aide d'un tiers pour réorganiser ses rapports avec les autres, le processus de victimisation est rapide à s'installer.

Les symptômes de la victimisation peuvent varier à l'infini ; mais lorsque le tiers est bien préparé à son rôle, il peut intervenir habilement, sans ajouter à la victimisation, comme nous le verrons dans le troisième chapitre.

Dans le cas qui nous occupe, l'infirmière aurait pu, sans accuser le père d'emblée, avoir une conversation avec lui et souligner l'ambiguïté de la situation. Ce n'était pas à elle de pousser très loin l'investigation, mais tout au moins elle aurait dû tenter de dissiper le malaise.

Nous n'avons pas à *prouver* qu'il y a un abus, mais à nous assurer qu'il n'y a pas de risque d'abus et que soit respectée l'autonomie de chacun. La fillette pouvait-elle consulter quelqu'un d'autre avec l'accord de son père et ainsi introduire un tiers ?

Le Moigne a aussi mis en évidence la notion de processus, d'ensemble de phénomènes en corrélation évoluant dans le temps, de transformation des données initiales qui aboutissent à un résultat en partie prévisible. Dans l'action, nous devons prévoir ce qui ne doit pas arriver. Par contre, toutes les possibilités de solution sont imprévisibles, c'est-à-dire qu'elles ne peuvent pas être complètement déterminées à l'avance.

Il importe donc, pour un urgentologue, de prévoir l'évolution d'un projet dans le temps, et d'en reconnaître les étapes approximatives. J'ai toujours été surprise par la facilité qu'avaient les professionnels de la santé de banaliser une tentative de suicide, par exemple, malgré les perturbations qu'un tel geste avait entraînées dans le milieu familial aussi bien que thérapeutique.

Si le sujet n'était plus suicidaire au moment de son évaluation, le psychiatre pouvait aussi bien lui donner congé, sans se préoccuper des habitudes suicidaires qu'il cautionnait ainsi, que recommander une thérapie dans une clinique externe, sans se soucier des difficultés relationnelles et comportementales actuelles du patient avec son milieu.

On veut croire que la thérapie individuelle mettra fin à la tendance aux éclats et aux gestes violents, ce qui est rarement le cas, bien au contraire. Le sujet ainsi référé dans un centre de thérapie peut déjà avoir appris à *changer* des situations par des gestes violents et suicidaires et croire qu'à force de comprendre *pourquoi* il veut se tuer il saura *comment* vivre autrement sans cette porte de sortie.

Une mauvaise solution est pire qu'une situation momentanément insoluble. La dramatisation nous force souvent à apporter des solutions inadéquates qui nous conduiront en toute probabilité vers un problème plus grand avec le temps.

Dire que *la situation est urgente* signifie qu'il y a un problème dont l'issue ne peut tarder, et qu'il devient prioritaire d'y voir, mais non qu'il faille adopter n'importe quelle solution. L'essentiel est de reconnaître l'existence d'un problème, et d'accepter son impuissance momentanée à le résoudre. Il est urgent cependant de s'en informer mutuellement pour que des solutions puissent émerger des personnes impliquées dans le problème et non d'un sentiment de panique de celui qui se croit le sauveur.

Le caractère complexe d'un phénomène n'a rien à voir avec la complication d'une situation. Watzlawick disait de ceux qui ne reconnaissent pas la complexité des ensembles : *Si un terrible simplificateur est quelqu'un qui ne voit pas de problème là où il y en a un, son contraire philosophique est l'utopiste qui voit une solution là où il n'y en a pas* [15].

On pourrait ajouter que ce n'est pas en tirant sur les fleurs qu'on les fait pousser plus vite. C'est-à-dire qu'il faut respecter le fait que la complexité de l'être vivant implique son propre principe de réorganisation. La personne autonome doit voir avant tout à évoluer dans un contexte respectant sa nature complexe, qui évolue selon des voies imprévisibles. Quand son évolution devient prévisible dans tous ses détails, c'est que l'individu agit en robot.

2.6 Le tiers inclus

Partons du principe que tout système est constitué de l'observateur, de l'observé et du code utilisé — le code étant le système de valeurs de la personne, sa compréhension du monde. Pour évoluer dans un projet, l'observateur et l'observé doivent partager une logique commune dans les moyens utilisés en regard des objectifs visés.

Le tiers inclus (l'observateur) représente la possibilité d'ouverture du système vers une transformation qui ne pourrait probablement plus venir de l'intérieur.

Un système vivant évite de stagner et de se détériorer en se gardant, dans une situation donnée, ouvert sur les autres systèmes. On rencontre trop souvent des tiers externes, sauveurs ou voleurs de problèmes, qui veulent agir sur le système sans accepter d'en faire partie. C'est ainsi que plusieurs ont appris à se méfier d'une aide éventuelle, craignant la disqualification ou le blâme de la part de ceux qui veulent apporter leurs solutions à tout prix.

Dans une revue humoristique, un acteur qui tenait depuis vingt ans le rôle de médecin dans des publicités raconte l'histoire de sa clinique pour hypocondriaques. Très souvent, dans les lieux publics ou dans les réunions sociales, on avait fait appel à ses soins, alors qu'il était un acteur et pas un vrai médecin, ce qui n'était un secret pour personne !

Ce qui le surprenait, c'était d'avoir pu soulager de leur mal les personnes pour qui le traitement recommandé par le docteur (un vrai, celui-là) avait été inefficace, et ce, en leur suggérant un remède quelconque.

On lui avait dit que ceux qui se préoccupent à outrance de leur santé et qui ont peur d'être malades sont légion. Il avait donc décidé d'ouvrir une clinique pour faux malades, pour hypocondriaques, mais personne ne s'y était présenté. Sauf une certaine femme, amenée là de force par son mari ; mais elle ne voulait rien entendre et le menaçait de poursuite s'il insistait pour la traiter.

En fin de compte, en plus de devoir fermer sa clinique, notre homme avait même perdu son gagne-pain d'acteur, car il était devenu aux yeux de tous un fraudeur [16] !

Le problème, c'est qu'il avait pris officiellement le rôle de tiers exclu qui ne prend pas part au problème et impose sa solution. Voilà contre quoi l'hypocondriaque lutte, car il a la conviction de n'être pas entendu quand il exprime ses craintes maladives.

Le médecin qui veut aider l'hypocondriaque doit épouser ses préoccupations et lui apprendre à les gérer. Il veille à s'assurer la collaboration des gens de son entourage et parle avec eux du changement de valeurs que nécessite la mentalité de partage des risques et des responsabilités. Croire qu'on peut influencer un patient sans sa coopération, ni celle des siens, est une erreur liée à notre approche linéaire, de cause à effet.

L'intervenant n'agit donc pas seulement sur le système, mais il fait partie du système, à travers lequel il peut alors jouer le rôle d'agent professionnel de changement. À ce titre, il ne peut pas évaluer le problème sans penser aux conséquences de ses interventions, tant pour lui que pour les autres. Voilà pourquoi il devra s'assurer que le processus de changement prend place dans un contexte de respect de l'autonomie de chacun.

Les professionnels de la santé ont fait erreur en se limitant au rôle d'observateur externe de la pathologie. Prisonniers du cul-de-sac où il se sont eux-mêmes engagés — et devant l'échec des traitements — ils pouvaient blâmer le malade, l'accusant de mauvais esprit ou d'imbécillité si leurs traitements scientifiques s'avéraient inefficaces.

À la lumière des théories systémiques sur l'inter-dépendance des systèmes, tout agent de changement ne peut plus se reposer sur cette position de tiers exclu, qui évalue un système sans se préoccuper du réalisme de ses recommandations et du genre de contexte qu'il maintient ou qu'il crée.

Mais il ne suffit pas de connaître les axiomes, encore faut-il pouvoir en parler avec notre entourage. Autrement, nous risquons nous-mêmes l'isolement, d'où la nécessité pour moi d'écrire ce livre pour l'urgentologue général.

2.7 L'épistémologie batesonienne et l'autonomie

Bateson et d'autres cybernéticiens ont redéfini l'épis-témologie en regard non pas de l'objet de la connaissance, mais de notre façon de connaître, d'observer et d'agir. L'être vivant n'est plus séparé de ce qu'il connaît, il en fait partie ; comportement et communication sont indissociables.

Bateson fait la nuance entre *Épistémologie* (avec une majuscule), la science qui nous permet de savoir comment nous connaissons, et épistémologie (avec une minuscule), qui relève de la personne même, de sa manière particulière de connaître et d'apprendre.

Notre cerveau est unique, comme le sont nos empreintes digitales. Nous avons chacun notre carte du monde, notre épistémologie. Tenter d'agir avec les représentations mentales de l'autre est voué à l'échec, à plus ou moins court terme, tout comme essayer de résoudre le problème de l'autre en lui imposant nos solutions et en l'incitant à agir selon notre idée.

Le niveau logique se reconnaît par la structure qui relie diverses parties entre elles et qui forme une unité d'esprit. C'est le bûcheron, sa hache et l'arbre ; le médecin, ses outils diagnostiques et thérapeutiques, son patient, l'entourage de son patient, les systèmes dans lesquels ils évoluent. Un médicament ne donnera pas son effet optimal si la famille du patient déprimé est contre tout médicament dans le traitement des troubles psychiques ; autrement dit, si les acteurs principaux ne partagent pas le même plan pour en arriver à un objectif commun.

Le concept de niveau logique nous permet d'évaluer l'impact de nos interventions en regard de la complexité des organisations ou des systèmes. Le bûcheron et ses compagnons, sa famille, son supérieur, le chef de l'union syndicale sont reliés. Tous ces systèmes en corrélation influencent le travailleur et ses rapports avec l'environnement. À partir de cette notion d'unité d'esprit et de niveau logique, il n'est plus pensable, pour transformer l'esprit ou la mentalité de l'organisation, de ne pas compter sur la participation des membres. Les personnes concernées évincées du projet verront à le faire avorter.

C'est en effet ce qu'on observe dans les entreprises qui cherchent à stimuler la participation de tous leurs membres. On a vu naître des programmes de qualité totale qui ont dû être transformés quelques années plus tard en programmes de *reingineering.* Les programmes de qualité totale sont maintenant perçus comme des méthodes purement cosmétiques, alors que le *reingineering* vise une transformation par le biais de l'identification des processus, des unités d'esprit, des éléments d'un ensemble et des interactions entre les divers ensembles d'une organisation.

Nous avons mentionné trois raisons qui expliquent notre négligence à nous initier à l'approche systémique en psychiatrie. Au delà de toutes ces raisons intellectuelles, il y a cette raison pratique que l'approche «client» nous est encore complètement étrangère. Nous croyons qu'elle est réservée au secteur privé, qu'elle est motivée pas la recherche du profit, alors que l'approche bienveillante pour le patient ferait davantage appel aux bonnes intentions en mettant de côté la notion d'efficacité.

À mon avis, le patient doit être le coordonnateur de l'équipe traitante et non pas uniquement l'objet du traitement. Ce mode de pensée nous oblige à changer l'ordre de nos interventions : il nous faut en réévaluer la pertinence à partir des demandes du patient et de son entourage, et changer radicalement nos moyens mêmes d'évaluation et d'intervention.

L'approche systémique nous aide à saisir les processus de guérison et de réorganisation de nos patients confrontés à la maladie mentale. Ce sont eux qui risquent de perdre leur statut d'humain autonome et responsable, en raison tant de la maladie qui les touche que de notre façon de les traiter. Nous nous sommes limités jusqu'à maintenant aux tâches thérapeutiques, en perdant de vue la personne en difficulté et les interactions entre les parties au processus du traitement.

Alfred Korszybski [17] a montré la différence de niveau entre le nom et la chose nommée, entre la classe ou la catégorie que nous construisons et la réalité elle-même. C'est précisément dans cette différence de niveau que l'esprit bureaucratique fait fausse route.

Le meilleur des programmes de soins ne peut que devenir caduc si la structure ne permet pas des changements continus. Lorsque le programme ou le plan passe avant même le processus de changement, on confond *la carte avec le territoire*.

Plutôt que d'ajuster nos programmes aux besoins des usagers, nous préférons blâmer ces derniers de ne pas les respecter. La détérioration des asiles est venue de cet esprit bureaucratique à la recherche du plan parfait. Les systémiciens nous rappellent le danger de prendre le mot pour la chose, et de momifier ainsi des réalités.

Donner un nom à un phénomène, trouver des solutions sans se préoccuper de l'unité logique qui relie tous les éléments de celui-ci, est chose fréquente dans notre logique disjonctive. Nous ne savons pas si la peine de mort diminue l'incidence des crimes mais, devant un délit horrible, nous sommes prêts à y recourir.

Dans le même sens, nous croyons à tort que des études de plus en plus précises sur les maladies qui affectent les travailleurs permettront d'en diminuer l'incidence dans les milieux de travail, et ce, sans que nous ayons à nous préoccuper des contextes qui rendent et qui maintiennent les gens malades. Résultat de la primauté donnée aux mots et aux plans ; d'où le phénomène de surdité centrale dans des organisations qui pourrissent de l'intérieur, en raison de la structure rigide de la bureaucratie.

2.8 Les axiomes de la communication

Nous avons survolé les axiomes de la modélisation systémique et de l'épistémologie batesonienne afin d'aider le lecteur à saisir la problématique de la logique linéaire du protectionnisme. Les axiomes de la communication, tels que proposés par Watzlawick [18], nous aideront maintenant à saisir la notion de circulation de l'information dans nos rapports aux autres, et dans notre identité de personne autonome.

a) On ne peut pas ne pas communiquer ;

b) Toute communication présente deux aspects : le contenu et la relation, tels que le second englobe le premier, et par suite est une métacommunication ;

c) La nature d'une relation dépend de la ponctuation des séquences de communication entre les partenaires ;

d) Les être humains usent de deux modes de communication : digital et analogique ;

e) Tout échange de communication est symétrique ou complémentaire, selon qu'il se fonde sur l'égalité ou la différence.

• On ne peut pas ne pas communiquer

Cet axiome est inconnu de notre logique disjonctive, qui nous donne à croire qu'une communication est uniquement verbale, et que les comportements non verbaux ne sont pas en eux-mêmes une façon de communiquer. N'avez-vous pas déjà observé les messages communiqués par les cinéastes et les dramaturges par l'intermédiaire des jeux de la caméra, des décors et des costumes ?

Le mépris, par exemple, s'exprime rarement par des mots, et pourtant, il peut faire de grands ravages. Cet axiome nous sensibilise donc au message unique ou multiple que véhicule tout comportement, y compris les messages du genre : *Je ne veux pas communiquer; vous n'êtes pas assez important pour que je vous regarde.*

Selon Gregory Bateson, l'unité élémentaire de l'information c'est *la différence qui crée une différence* entre les « esprits ». Reprenant les deux mondes de Gustav Jung, la *pleroma* et la *creatura*, Bateson fait la distinction entre les liens qui relient les éléments du monde inerte et ceux qui relient les éléments du monde vivant.

« La *pleroma* est le monde où les événements sont causés par des forces et des impacts, et où il n'existe pas de "distinction"; ou, pour mieux dire, pas de "différences". Dans la *creatura*, les effets résultent précisément de la différence. En fait, on retrouve, là encore, la bonne vieille dichotomie entre esprit et matière [19]. »

Bateson s'est intéressé aux processus mentaux des êtres vivants, quelle que soit leur complexité. Les phénomènes de rétroaction (ou de *feedback*) et d'homéostasie, décrits par Cannon et les endocrinologues du XIXe siècle, étaient pour lui des processus mentaux reliés au domaine de l'information.

Cette notion de « différence qui fait la différence » met en relief la question du récepteur. Elle nous aide à cerner ce qui le préoccupe.

Le médecin qui croit avoir établi un bon diagnostic a peut-être ignoré totalement le problème de son patient. Peut-être s'est-il surtout préoccupé de sa propre situation, en trouvant une réponse satisfaisante aux yeux d'une personne autre que le patient, par exemple l'avocat éventuel qui pourrait lire le dossier médical lors d'une poursuite, ou le contrôleur des actes médicaux.

Dans sa note introductive sur la situation générale des études sur la communication, Warren Weaver dit qu'il entend utiliser le mot *communication* « dans un sens très large, incluant tous les procédés par lesquels un esprit peut en influencer un autre [20]. » Ces procédés sont représentés par toutes les formes d'expression humaine, en fait, par tout comportement humain, comme Watzlawick, Bateson et tous les sytémiciens l'entendent aussi. Weaver distingue par la suite trois niveaux de problèmes de communication :

A : avec quelle exactitude les symboles de la communication peuvent-ils être transmis ? (Problème technique)

B : avec quelle précision les symboles transmis véhiculent-ils la signification désirée ? (Problème sémantique)

C : avec quelle efficacité la signification reçue influence-t-elle la conduite dans le sens désiré ? (Problème de l'efficacité)

Nous sommes bien loin du *dire l'essentiel* ou du *tout dire* présumément conditionnels à une communication efficace. Weaver, en reprenant les théories de Shannon sur l'information, souligne l'importance de la probabilité pour créer la différence. Un message inattendu pour le récepteur a beaucoup plus de chance d'être perçu qu'un message auquel il s'attend : c'est la *différence qui fait la différence*. Bien des cliniciens ont ainsi appris à étonner pour établir un climat d'échange, tout comme les journalistes cherchent le *scoop* qui fera mousser la vente du journal.

Weaver attire aussi notre attention sur la notion de canal, et sur son utilisation maximale. Cette notion est capitale dans la nature du rapport à établir pour la circulation de l'information entre émetteur et récepteur. Je fais référence ici au canal affectif entre deux personnes qui les oblige à prendre place en tant que récepteur et émetteur. C'est par ce canal que l'un et l'autre sont rassurés quant à leur existence et à leur identité.

S'il y a risque que la relation devienne nuisible ou destructrice pour l'un ou l'autre des partenaires, il importe que chacun d'entre eux ait la possibilité de pouvoir fermer la voie de communication avec l'autre et ce, pour une période indéterminée, qu'elle soit temporaire ou permanente.

C'est à celui qui se sent lésé dans ses droits qu'il revient de rompre. Cette notion de rupture, qui renvoie à la question de la mobilité des personnes, est primordiale dans le processus de rééquilibrage des systèmes ouverts.

Watzlawick reprend une subdivision identique à celle de Weaver mais l'appellation en diffère sur deux points : pour Watzlawick, est *syntaxique* et *pragmatique* ce qui, pour Weaver, est *technique* et *efficace*. Watzlawick laissait aux théoriciens les problèmes syntaxiques (ou techniques). Pour ce qui est de la partie sémantique, il la trouvait non pertinente quant aux aspects pragmatiques de la communication.

Je voudrais, pour ma part, mettre l'accent sur les aspects techniques et sémantiques de la communication lorsque je m'intéresse au code entre émetteur et récepteur (en ce qui a trait à l'autonomie du sujet), ainsi qu'au canal de communication. Comme je l'ai déjà signalé, le code des comportements qui prévaut actuellement dans nos relations et dans nos organisations est celui du protecteur-sauveur, alors que le code des personnes responsables relève d'une autre logique, la logique conjonctive.

Les échanges trouvent leur signification dans le code utilisé. Si nous voulons nous entendre sur l'interprétation de nos façons respectives d'agir, nous devons d'abord nous accorder sur des valeurs communes en ce qui a trait à la reconnaissance de l'autonomie humaine.

On a souvent recommandé aux professionnels de la santé de se familiariser avec la culture des patients qu'ils traitent. Pour ma part, la distinction entre culture protectionniste et culture de la coopération m'apparaît la principale. Quant aux autres différences culturelles, elles ne m'ont jamais semblé essentielles.

• Le contenu et la relation

Toute communication présente deux aspects : le contenu et la relation, tels que le second englobe le premier, et par suite, est une métacommunication.

Ce deuxième axiome nous permet de comprendre la nécessité de modifier le cadre relationnel si l'on veut transformer une relation de contrôle en relation respectueuse de l'autonomie de chacun.

Nous devons prendre conscience de la nécessité de sortir de la relation pour la redéfinir. C'est, croyons-nous, la base de l'expertise dans les relations humaines.

Deux conditions sont nécessaires : d'abord, il faut avoir la possibilité de refuser le rôle que l'autre veut nous donner ; ensuite, nous devons pouvoir redéfinir ce rôle avec lui. Ces conditions doivent être appliquées dès le début des rencontres. Sans faire l'objet d'une entente verbale, les règles relationnelles s'installent d'ordinaire dès les premiers échanges. Par ailleurs, si on laisse s'établir des règles relationnelles entraînant un phénomène de victimisation, il faut demander l'aide d'un tiers afin de les changer.

Pour éviter de s'enliser dans un processus de victimisation, nous devons accepter de décevoir la personne qui nous demande de l'aide, sans toutefois l'abandonner ni la rejeter. Elle et son entourage vont-ils accepter de continuer de faire équipe avec nous, compte tenu du rôle de tiers inclus que nous voulons prendre plutôt que celui d'agent sauveur et porteur d'une solution qui est extérieure à eux ?

Pour changer le cadre relationnel et sortir d'une relation disqualifiante, il nous faut être conscient de notre impuissance (à l'origine de bien des frustrations) et nous défaire du réflexe typique du sauveur, qui est de chercher des coupables ou imposer des solutions.

Le rôle du tiers inclus se joue à un niveau logique supérieur au contenu de la relation, mais celle-ci doit être maintenue car c'est seulement ainsi que le cadre ou la nature de la relation peuvent être changés. Le maintien d'une relation ne signifie pas qu'il n'y a pas possibilité de rupture, puisque cette possibilité facilite la transformation de la relation tout en protégeant les personnes de la disqualification et du rejet.

Dans le cadre d'une relation protecteur/protégé, le sauveur ne peut pas se permettre de provoquer des ruptures, d'où le danger grandissant d'éclatement de ce type de relation.

• Communication symétrique ou complémentaire

Tout échange de communication est symétrique ou complémentaire selon qu'il se fonde sur l'égalité ou la différence.

La relation complémentaire se définit par les positions supérieure ou inférieure des protagonistes, telles que dans la relation protecteur/protégé. Elle est fondée sur la différence d'orientation des comportements, lesquels se complètent les uns les autres.

Dans la relation symétrique, la position des protagonistes est presque identique, leurs comportements étant similaires. L'un essaie de faire un peu plus que ce que fait l'autre, peu importe l'objectif. Si elle n'est pas compensée par un mode complémentaire, la relation symétrique peut conduire à la rivalité et à l'hostilité.

De la même façon, une relation complémentaire qui ne varie pas à l'intérieur d'elle-même, ou qui n'est pas rééquilibrée par une relation symétrique, devient rigide et conduit à une déformation progressive des caractères et se termine par l'effondrement.

On peut l'observer dans les couples où les conjoints gardent toujours la même position, la supérieure pour l'un, l'inférieure pour l'autre. Les deux protagonistes en deviennent caricaturaux. Ils nous donnent l'impression d'être l'un et l'autre également inadéquats dans leur relation complémentaire rigide, typique du protectionnisme.

Ces déformations des caractères, que l'on retrouve dans les relations rigides, nous permettent de concentrer notre attention sur les *patterns* interactifs des individus d'où originent ces déformations plutôt que de ne s'en tenir qu'à des diagnostics de troubles de personnalité.

La recherche par les protecteurs en difficulté de nouveaux protecteurs risque de faire perdurer une relation pathogène, si ces derniers s'ajoutent à l'ensemble en rivalisant avec les protecteurs originaux, plutôt que de prendre le rôle de tiers inclus dans l'espoir de transformer la relation protectionniste en relation de respect de l'autonomie de chacun.

Chacun des modes relationnels risque l'éclatement, s'il n'est pas compensé par l'autre. Nous aborderons plus loin les façons de désamorcer le cycle de la violence qu'on retrouve dans tous les ensembles de comportements qui conduisent à l'éclatement.

Pour Watzlawick, *le contenu est transmis sur le mode digital, alors que la relation se situe essentiellement sur le mode analogique.*

L'axiome dont il est question ici permet de comprendre nos incohérences quotidiennes et nos paradoxes comportementaux. La communication analogique se résume à pratiquement toute communication non verbale, alors que la communication digitale est en bonne partie liée au langage. On sait qu'il est facile de dire n'importe quoi en parole, mais combien plus difficile il est de mentir sur le plan de la communication non verbale !

Au moment d'une crise, les parties ont souvent perdu leur capacité de synthétiser et de faire des plans ; elles se cantonnent dans le mode analogique. L'intervenant averti tente de maintenir une certaine cohérence dans ses propres comportements verbaux et non verbaux, car il sait qu'un patient avide de solutions immédiates saisira bien toutes les incohérences entre les modes digital et analogique, verbal et non verbal. Il ne sert à rien de cacher ce qu'on ressent, ce qui ne veut pas dire qu'il faille tout dire...

La neutralité bienveillante de l'analyste dans une situation d'urgence peut être interprétée comme de l'indifférence totale et susciter chez le patient des comportements, dits hystériques, qui ne visent qu'à attirer l'attention. Le canal affectif n'est pas utilisé de façon optimale quand on tente de dissocier le verbal du non-verbal ou que les deux modes de communication ne transmettent pas le même message.

• Ponctuation des séquences

La ponctuation des séquences de la communication donne la nature de la relation.

L'identification rapide des éléments d'une relation pathogène nous permet d'éviter d'être un acteur de plus dans le scénario de cette relation. Les comportements du protégé, qui nous poussent à agir pour son propre bénéfice, sont facilement identifiables.

Il ne faut jamais entrer en symétrie avec le protecteur pour traiter son protégé. Il faut plutôt dénouer la relation protectionniste en présence du protecteur, étant donné que c'est ce dernier qui peut accepter de modifier les rôles et définir autrement la relation; seul, le protégé ne peut rien changer.

Relisez *Sybil* [21] de Flora Rheta Schreiber : c'est un bel exemple d'une tentative ratée de démantèlement d'une relation protectionniste en dehors de la présence du protecteur. Cette erreur a retardé de dix ans la guérison de la patiente, le protecteur ayant tout bloqué sans que personne ne sache ce qui se passait. La psychiatre n'a pas d'abord transformé les ensembles. Elle s'est limitée à travailler sur un des éléments de l'ensemble, la patiente, porteuse des symptômes psychiatriques alors que le protecteur, la mère, a vu à empêcher tout changement fait à son insu.

2.9 Déni et rejet dans les relations pathogènes

Les trois aspects de la communication qui ont une répercussion sur la conscience de soi — la confirmation, le rejet et le déni — sont des plus pertinents pour mettre en place la coopération. Comme l'écrit Watzlawick : «Les échanges seraient rares et brefs entre les personnes s'ils ne consistaient qu'à de l'information ponctuelle. Il semble bien que, indépendamment du pur et simple échange d'information, l'homme a besoin de communiquer avec autrui pour parvenir à la conscience de lui-même [22].»

Cette communication, censée confirmer notre existence et notre identité, est entravée par les mécanismes de maintien — dont le rejet et le déni — de la relation protectionniste.

Le rejet consiste à s'opposer à l'identité d'un individu comme être valable, tout en reconnaissant son existence comme être autogéré. Quant au déni, il est le fait de nier à la fois son existence et son identité.

Dans la relation de déni, notre attitude et notre façon d'agir sont la preuve que nous considérons la personne sans jugement et inapte à gérer ses affaires ; mais qu'elle n'ose pas s'en plaindre, car nous allons nous évertuer à le nier !

Quelle confusion pour l'autre !

C'est précisément ce rapport *comme si* qui est à l'origine de la victimisation dans le protectionnisme. Tout se passe dans le non-dit de la relation : le protecteur fait *comme si* le protégé était libre d'agir, alors que, dans les faits, il est «libre» de faire comme le protecteur l'entend. Après tout, le protecteur n'est-il pas le *bon père de famille* qui sait *ce qui se doit*?

Lorsque le protégé n'agit pas comme *ce qui se doit*, le protecteur le rejette et en remet la charge à d'autres sauveurs. Protéger, rejeter ou nier, voilà sa dynamique.

Faire *comme si* le protégé était libre est un geste de déni et de disqualification ; s'en défaire aux mains d'autres protecteurs, pour son traitement ou sa protection, est un geste de rejet et de blâme.

Protecteur et protégé se condamnent mutuellement au même sort, de déni et de rejet, et ne savent ni l'un ni l'autre comment sortir de la relation.

La phrase qui caractérise le déni de ces protecteurs est : «Je l'avais bien dit!» Ce sont les professionnels de la santé alors qui ont la tâche de traiter un des leurs même si, au préalable, personne n'accepte de changer de valeurs.

Pour laisser à l'acteur le choix de ses moyens, il faut avoir reconnu le cul-de-sac que constitue le fait de contrôler les actes de l'autre. Si l'ex-protégé fait des erreurs, il faut s'intéresser à la façon qu'il aura de les réparer ou de les assumer plutôt que de le condamner en lui disant : «Je l'avais bien dit que tu ne saurais pas t'en tirer avec tes propres moyens!»

Le déni empêche le protégé de sortir de l'emprise de son protecteur. Le rejet peut permettre une ouverture, mais dans le ressentiment.

Nous verrons, dans le troisième chapitre, comment dénouer déni et rejet, le rejet étant fort fréquent et se répercutant sur plusieurs générations, alors que le déni est très souvent associé à une pathologie mentale plus évidente et, le plus souvent, limité à une seule génération.

En conclusion, la définition d'une communication adéquate, découlant de toutes ces théories sur la communication et l'information, pourrait être : une communication est d'autant plus efficace que récepteurs et émetteurs se confirment mutuellement comme des êtres autonomes dans la gestion des problèmes qui surviennent dans leurs projets communs.

J'ai voulu, dans ce chapitre, regrouper des théories déjà bien expliquées ailleurs, pour permettre à l'urgentologue général (étudiant, parent, gestionnaire ou professionnel de la santé) de trouver la place de l'implication personnelle dans les théories de la communication et de l'information.

Nous pouvons maintenant parler d'éthique relevant de nos connaissances systémiques et réaliser à quel point nous pouvons nuire en voulant aider, même avec les meilleures intentions du monde. Plutôt que de jouer les partenaires permanents qui devront disparaître sporadiquement pour se protéger, pourquoi ne pas apprendre à nous impliquer temporairement auprès de ceux qui nous consultent et miser sur leur compétence à se réorganiser, au lieu de présumer de leur incompétence ?

C'est dans le prochain chapitre que nous verrons certains principes utiles pour éviter la victimisation dans nos interventions : les *quoi ne pas faire* et les *quoi faire*.

3

Pratique
de l'urgentologue
général

Dans la gestion des problèmes, il est fort utile de savoir reconnaître les deux cultures, les deux grands ensembles de valeurs et de comportements qui relèvent, pour l'un, de la logique disjonctive des contrôleurs-contrôlés, maintenue par une morale à double standard, et, pour l'autre, de la logique conjonctive, fondée sur la reconnaissance et le respect de l'autonomie des personnes.

Nous oscillons en général entre les deux logiques jusqu'à ce qu'un évènement nous bouleverse. Nous nous ancrons alors dans l'un ou l'autre des ensembles comportementaux. À mesure que nous évoluons, se développent, à l'intérieur même de ces grands ensembles, des sous-ensembles particuliers à chacun. Mais il reste qu'on peut toujours reconnaître si un groupe s'oriente de plus en plus vers la manifestation de comportements violents ou maladifs ou, au contraire, vers une plus grande marge de manœuvre et de participation des membres à l'activité du groupe.

Après cette sensibilisation aux processus des ensembles, je me propose maintenant de fournir quelques pistes en vue de la transformation — en pleine action — d'un système de victimisation en un système de coopération.

Dans un premier temps, je clarifierai les repères subjectifs et les zones de vulnérabilité de l'être humain, en portant une attention spéciale aux aspects victimisants d'une relation.

Dans un deuxième temps, j'exposerai les règles générales et les principes de base pour la mise en place d'un contexte de gestion des problèmes dans la coopération. Enfin, je voudrais rappeler encore une fois à quel point il est important d'identifier la mentalité de l'ensemble dans lequel nous évoluons, celle-ci étant toujours caractérisée par le moyen (victimisation ou coopération) utilisé pour juguler les dissensions, moyen qui encourage ou bloque la transformation de l'ensemble.

3.1 Repères subjectifs

C'est comme tout un chacun, aussi bien qu'en tant que psychiatre, que j'en suis venue à me servir de repères subjectifs très faciles à identifier — grâce à ce que la majorité des urgentologues appelleront leur intuition.

Ces repères sont en fait des émotions, des sentiments ressentis par les protagonistes qui, en pleine action, informent l'intervenant de la logique particulière du groupe auquel il est mêlé. Ils lui servent de balises, de garde-fous, pour éviter à court et à long terme les écueils de la victimisation, en focalisant son attention sur les moyens de composer avec ces émotions.

Les repères subjectifs et les mécanismes de maintien du processus de victimisation sont sensiblement les mêmes : la colère (l'impression générale d'agacement ou d'irritation), le blâme (le sentiment de honte et de culpabilité), la disqualification (le sentiment d'être inexistant ou trivialisé).

Ces sentiments — colère, blâme et disqualification —, s'il ne les reconnaît pas, amènent l'urgentologue à réagir de façon symétrique à celui qui les a exprimés.

Par ailleurs, les autres émotions, comme l'anxiété, la dépression, la jalousie, l'envie et la méfiance, lui indiquent que ceux qui les ressentent se maintiennent depuis quelque temps dans un processus de victimisation et ont déjà développé des sous-systèmes émotivo-comportementaux.

De manière générale, nous en voulons beaucoup à ceux qui nous contrôlent et nous coincent dans nos interactions avec eux. La gestion de la colère, ou plutôt des frustrations qui la suscitent, dans la règle du respect de l'autonomie de chacun, élimine rapidement les autres comportements ou émotions qui peuvent en découler et qui maintiennent la victimisation.

• La colère

Avec la compréhension psychodynamique des émotions, l'expression de la colère a été valorisée. Plusieurs pensent que cette émotion s'accumule progressivement pour former un abcès qui crève comme un volcan, et qu'il faut lui donner libre cours pour décompresser.

«Exprimez votre colère pour vous en libérer!» entend-on trop souvent, comme si on pouvait s'en purger! Pourtant, c'est comme un feu qu'on alimente : plus on est en colère, plus on s'en sert pour attaquer les autres, physiquement ou verbalement.

Le sentiment de colère est un signal d'alarme qui nous avertit d'une réalité indésirable, d'une agression ou d'un envahissement de la part d'un prédateur. Pour maintenir l'harmonie dans un groupe ou pour éviter de poser des gestes asociaux, nous tentons de déformer cette émotion, de faire *comme si* nous ne la ressentions pas.

Mais il arrive un moment où nous ne pouvons plus nous convaincre que tout va comme nous le désirons. Alors, nous nous opposons à ces réalités qui persistent à être différentes de ce nous souhaitons et nous imposons notre vision du monde de façon «non civilisée», par des moyens violents, antisociaux ou plus ou moin acceptables socialement.

Cet éclatement, nous l'attribuons à l'accumulation de la colère ou à une défaillance de nos moyens de défense plutôt qu'à une falsification d'une réalité indésirable qui devient subitement impossible à changer.

Il peut s'avérer impossible à l'occasion de réfréner une colère, mais il s'agit rarement d'un moyen de gestion de conflits. La colère, comme toute émotion, nous aveugle et nous empêche de planifier nos affaires intelligemment. Plus nous lui laissons libre cours, plus nous avons tendance à reprendre le même registre émotionnel.

S'il n'est pas bon d'agir sous le coup de la colère, il est important, par ailleurs, de se laisser instruire par ses premiers indices pour laisser émerger des solutions appropriées aux circonstances, en misant sur l'auto-organisation.

Il est possible qu'occasionnellement une colère planifiée nous permette de clarifier efficacement nos limites et notre territoire, sans jouer la victime ni faire de victime ; voilà, entre autres, une façon d'enclencher une rupture sans rejet. Mais il vaut mieux s'habituer à installer un contexte de gestion de problème lorsqu'une réalité nous dépasse que de miser sur une telle mise en scène.

Dans ma pratique, j'ai vu nombre de victimes me parler de leurs droits, et devenir des professionnels de la révolte et de la dénonciation, sans jamais parvenir à dépasser ce stade pour envisager un terrain d'entente.

Certains opprimés, certains minoritaires (et leurs défenseurs), à l'instar de leurs oppresseurs, utilisent comme outils l'attaque et le mépris. Ils privilégient les mouvements de révolte, de colère et même de destruction et se contentent de dénoncer des mesures jugées injustes, sans même tenter de se donner un contexte pour trouver des solutions. C'est ainsi que le cycle de violence est maintenu.

• Le blâme suscitant honte et culpabilité

Reconnaître en soi un sentiment de honte ou de culpabilité permet de se protéger de l'autre, autrement qu'en le blâmant ou en le méprisant. La honte est un sentiment qui inhibe l'action. Elle éloigne le sujet de son projet en le maintenant «dans le regard de l'autre».

Rassurer une personne qui se croit fautive par des louanges ne constitue pas nécessairement un remède efficace à long terme. Il vaut souvent mieux l'encourager à prendre le risque de décevoir les autres, et l'initier aux valeurs des personnes autonomes et vulnérables.

C'est en acceptant de ne pas avoir raison, en changeant de logique et de groupe de valeurs, que le sentiment de honte perd son pouvoir destructeur : on n'accepte tout simplement plus de rapport blâmant! On change le sens relationnel de la position inférieure, imposée par l'autre, en misant sur la mobilité.

On peut alors suggérer à l'«oppresseur» d'expliquer ce qu'il souhaite exactement. Et nous aussi. Cet échange permet d'établir un contexte favorable aux projets communs dans le respect de l'autonomie de chacun. On peut enfin délaisser l'analyse des caractères et le blâme mutuel. Toutefois, si l'oppresseur refuse de s'expliquer, il sera temps alors de mettre un terme à la relation, en fermant le canal affectif.

La culpabilité est un sentiment qui nous fait agir par rapport à une norme intérieure. Elle est activée par nos états d'âme ou ceux des autres. Même si elle a été longtemps perçue comme la preuve d'une «bonne conscience», la culpabilité rend impossible l'instauration d'un contexte de logique conjonctive.

La plupart du temps, ceux qui se sentent coupables ignorent le sens des règles et de l'entente qui peut en découler. Ils suivent la logique disjonctive qui les rassure. Ils croient qu'à tout malheur, il y a une cause; et qu'en cas de malheur, ils en sont tout probablement la cause.

Réparer ce qui est perçu par l'autre comme étant une erreur juste parce qu'on se sent coupable ne fait qu'embrouiller le problème.

Il est plus utile de se laisser inspirer par nos culpabilités potentielles — les *j'aurais dû* futurs — quand nous affrontons une situation difficile ; ces *je le savais* et *j'aurais bien dû* que nous nous dirions, si nous avions laissé les choses aller dans la même direction. Ils représentent une source d'information très précieuse pour l'intervenant dans l'action.

Par exemple, devant un patient suicidaire, nous pouvons prendre une certaine décision au meilleur de notre connaissance, en nous éclairant des *j'aurais dû* futurs (les nôtres et ceux de la famille du patient). Ces *j'aurais dû* nous indiquent les éventuelles boucles de rétroaction (*feedback*) et l'unité d'esprit des ensembles auxquels nous sommes temporairement mêlés.

Si le mari d'une patiente est convaincu des tendances suicidaires de sa femme, c'est à partir de ces craintes qu'il convient de planifier l'intervention car c'est lui qui risque de perdre un proche pour toujours, advenant un suicide. Si un tel dénouement devait survenir, tous en seraient malheureux mais au moins les gens ne seraient pas torturés par la culpabilité ou par l'esprit de vengeance.

Ceux que nous aurions assuré du succès de nos recommandations thérapeutiques risquent de nous en vouloir beaucoup, et avec raison, si nos solutions ont mené à l'échec. Pour ne pas voir surgir la violence ou la victimisation, chacun doit donc se laisser la marge de manœuvre nécessaire à ses essais et ses erreurs.

• La disqualification

Dans la complexité des relations, la disqualification d'autrui loge à un autre niveau. Elle survient lorsqu'on reste sourd aux problèmes de l'autre, en tout cas tels qu'il nous les présente. La disqualification fait partie intégrante de la structure rigide des modèles autoritaires et consiste pour le «patron» à dénier toute compétence aux membres de son entourage.

Lui se prend pour la tête, et les autres sont ses pieds : même des hauts-parleurs ne suffiraient pas à se faire entendre d'un tel sourd! Et ce n'est pas non plus en changeant de patron que la mentalité de l'institution va changer. La surdité centrale doit être nommée, et transformée dans l'esprit de la logique conjonctive; c'est ce que nous verrons, notamment, dans la mise en place du contexte de gestion des problèmes.

La mobilité qu'a un sujet lui permet de quitter une organisation souffrant de surdité centrale, où l'on risque seulement de s'ancrer dans un processus de victimisation. Ce n'est qu'à condition de n'y être pas coincé qu'on pourra aider au changement d'une relation ou d'une organisation.

Dans bien des milieux de travail, afin de disqualifier ceux qui créent des problèmes, on dit qu'ils souffrent de troubles de la personnalité ou, en d'autres termes, que «c'est eux le problème».

Il est possible que certains aient des comportements désagréables, mais ce n'est pas en posant de tels diagnostics que l'on parviendra à trouver des solutions communes, dans le respect des droits de chacun. En agissant ainsi, on ne fait qu'expliquer pourquoi un problème n'est pas résolu. On ne favorise aucunement la réflexion des personnes en cause sur la façon de résoudre le problème. On prolonge le débat sur «qui a tort, qui a raison». On favorise ainsi l'utilisation de moyens déstabilisateurs de la part des personnes qui se veulent en position supérieure. Nous sommes bien loin alors d'une entente sur les règles à suivre...

3.2 Les quatre zones d'insécurité

Les quatre zones d'insécurité de la personne (physique, affective, sociale et culturelle) dont il est question ici peuvent laisser penser que nous reprenons le modèle biopsychosocial, devenu si populaire auprès des thérapeutes.

Lorsqu'il y a atteinte à son intégrité, le sujet se sent, bien sûr, menacé. Plutôt que de contourner la zone d'insécurité en cherchant un protecteur, ou en se maintenant dans des relations ou organisations à structure rigide (même celles dont le mandat est de protéger), il est de beaucoup préférable d'y faire face en assumant la situation et en acceptant une relative insécurité. C'est là l'unique façon d'éviter le chantage et de sauvegarder son intégrité.

J'ai trop souvent vu des thérapeutes ou divers intervenants sociaux, y compris des policiers, tenter de pallier aux insécurités des personnes affectées plutôt que de leur permettre d'y faire face elles-mêmes en partageant les risques de la réorganisation.

Le modèle biopsychosocial nous a amenés à morceler les personnes en diverses facettes, en devenant des sauveurs ou des thérapeutes, plutôt que de susciter chez les urgentologues la nécessité de créer des contextes où les gens affectés en viennent à se réorganiser eux-mêmes en regard de ces diverses facettes.

C'est à partir de la reconnaissance de nos vulnérabilités que nous parvenons à nous donner des choix de gestion. Nous aborderons ces quatre zones d'insécurité ou de vulnérabilité en essayant de reconnaître certaines problématiques et de réfléchir à des moyens d'intervention qui prendront en compte le maintien de l'intégrité de tous.

3.2.1 Insécurité physique

La zone d'insécurité physique peut être de trois ordres : corporelle à court terme ; corporelle à long terme ; économique, reliée à la nourriture et à l'habitation.

L'intégrité physique peut être menacée de façon brutale à cause d'une agression criminelle ou d'une catastrophe, qu'elle soit accidentelle ou naturelle (inondation, tremblement de terre, etc.). L'intention criminelle ajoute au traumatisme, mais les victimes de désastres naturels ont un sentiment tout aussi perturbateur de leur vulnérabilité et du caractère illusoire de leur sécurité. Il faut de quelques semaines à quelques mois (selon les séquelles temporaires et permanentes de l'événement) pour se remettre de l'état de confusion qu'entraîne une menace à l'intégrité physique.

La victime présente souvent un tableau clinique de stress post-traumatique — tableau de mieux en mieux documenté, entre autres par le DSM IV (le plus récent code de diagnostic de l'Association américaine de psychiatrie).

La récupération, nous le savons maintenant, est d'autant meilleure qu'il y a une phase de reconstruction. Car il ne suffit pas de parler de l'événement. Tout en acceptant le fait qu'on ne peut pas tout prévoir, la victime doit s'interroger sur les reproches qu'elle risque de se faire afin d'éviter une catastrophe prévisible, parce que tel réflexe ou tel comportement de sa vie n'a pas été changé. Elle ne peut pas, bien sûr, effacer de sa mémoire le souvenir encore très vif des événements ; toutefois, comme comme ceux-ci ne se répètent jamais de façon similaire, il ne lui servirait à rien de se préparer en vue d'un scénario qui serait identique.

Une personne prise en otage en vient à se préoccuper des réactions de son agresseur au point de croire que sa survie dépend de lui. Judith Herman [23], entre autres, nous a sensibilisés aux systèmes comportementaux de la violence domestique en les comparant à ce qu'on a pu constater en cas de séquestration criminelle de longue durée. La personne soumise ne cherche plus à s'enfuir mais à tout faire pour satisfaire son geôlier.

De là résulte l'incompréhension de l'entourage en face d'une victime qui ne tente pas de quitter son agresseur. Elle-même ne pourra croire par la suite — et s'en dévalorisera d'autant plus — avoir subi si longtemps des conditions aussi abusives et avilissantes, dans une prison sans barreaux réels. Que vont penser les autres ?

La victime partage les valeurs de son geôlier. Elle classe les êtres humains en forts et faibles, bons et méchants, vainqueurs et vaincus. C'est peine perdue pour une victime d'essayer de faire partie de la bonne catégorie ; elle n'y arrivera jamais, car cette « bonne classe » n'est qu'un mirage de la culture protectionniste.

Une victime ne doit pas chercher à être la plus forte — elle ne le serait jamais assez — mais apprendre à se protéger. Pour sortir d'un ensemble de victimisation, il faut qu'elle-même et les siens portent leur attention sur leurs vulnérabilités respectives et non sur leurs forces, réelles ou illusoires ; et installer la règle du respect de l'autonomie de chacun (RRAV).

Personne ne cherchera plus, dès lors, à satisfaire l'agresseur pour assurer sa sécurité. Il est si fréquent de voir des individus tenter de ramener l'équilibre d'une relation en devenant des esclaves, plutôt que tendre avec leurs partenaires vers un esprit d'équipe dans le respect des ententes !

La séquestration dans le milieu familial ou dans le milieu du travail (dans ce dernier cas, celle-ci étant liée à la sécurité et aux conditions de travail) occasionne toujours une perte d'intégrité.

L'impossibilité de rupture dans une relation entraîne forcément non seulement l'augmentation du nombre de victimes et de contrôleurs, mais surtout l'aggravation de la situation.

Maintenir sa mobilité — se donner la liberté de rompre, même momentanément — en multipliant ses réseaux (ses liens avec les autres) devient le principal moyen de sauvegarder son intégrité personnelle. Un orphelin a toujours plus de chances d'être une victime, pouvons-nous ironiquement affirmer, par manque de réseaux.

Pour ma part, je tente d'aider la victime et son entourage à aborder les séquelles du traumatisme en parlant avec eux des valeurs d'autoprotection. Apprendre à vivre en «peureux» plutôt qu'en brave. On peut faire le tour du monde en tenant compte de ses peurs, et le voyage est tellement plus agréable ! On prend des risques seulement quand on accepte à l'avance une possible perte, et qu'on admet ne pas pouvoir tout prévoir.

Je veux éviter avant tout d'en arriver à la conclusion, après quelques mois ou quelques années de traitement, qu'il est impossible de traiter ou de réhabiliter la personne traumatisée.

Il est vrai qu'un laps de temps plus ou moins long s'avère parfois nécessaire. Lorsqu'il y a des procédures judiciaires par exemple, il vaut mieux attendre leur fin avant d'aborder les valeurs d'autoprotection reliées à la logique d'équilibre entre personnes autonomes. En effet, comment peut-on aider une personne à se sentir bien, quand les séquelles dont elle souffre constituent la preuve principale du drame qu'elle a vécu?

• Le cycle de la violence

C'est Lenore Walker[24] qui a employé l'expression «cycle de la violence» pour décrire les trois phases récurrentes des échanges entre une femme battue et son conjoint : la phase de tension, la phase d'éclatement, qui se traduit par des abus physiques ou verbaux, et la phase de réparation. C'est quand il n'y a plus de réparation possible que la femme abusée cherche à quitter, a-t-elle observé. Cette expression de «cycle de la violence» est de plus en plus courante quand on discute de la culture de violence en général, dont la définition n'est pourtant pas encore très claire.

C'est dans la recherche d'une telle définition que j'en suis arrivée à proposer la mienne, en me basant sur la description des contextes de violence, contextes dans lesquels il est de plus en plus facile de contrôler l'autre, de soumettre l'autre à sa volonté.

Si l'on veut rester maître de soi, il faut miser sur le rééquilibrage qu'entraîne la circulation de l'information dans le réseau de nos perceptions (émotionnelles, analytiques ou verbales), dans un contexte de gens autonomes.

S'en remettre aux décisions d'un protecteur, c'est s'enlever toutes les chances de devenir responsable et «intelligent» : l'être humain ne saurait subir un contrôle incessant sans risquer de devenir inapte à exercer ses droits et à se maintenir en santé.

De la même façon, il est inutile de faire appel à la «volonté» de l'être humain dans l'espoir qu'il sache se conduire. Contrôler les autres, se contrôler soi-même, est un processus identique. J'ai vu des parents «volontaires» se rendre compte de leur difficulté à contrôler leur colère, et demander que leurs enfants soient placés dans un autre foyer pour les protéger.

S'ils avaient misé sur la règle de l'autoprotection, ils auraient établi comme principe pour toute la famille que ce n'est pas avec la peur, les menaces et la colère que les problèmes se règlent. Advenant que l'un des membres de la famille ne parvienne pas à inhiber sa colère, les autres peuvent se protéger en s'éloignant et attendre que le calme revienne ; ou mieux, celui qui s'est emporté se retire temporairement.

Les enfants n'ont plus à se soumettre à la colère des parents, ni les parents à celle des enfants. On apprend à discuter des problèmes pour trouver des solutions appropriées dans des contextes où l'on fonctionne avec la règle du respect de l'autonomie et de la vulnérabilité de chacun. Tous les autres moyens utilisés pour compenser les situations victimisantes ne peuvent mener à la longue qu'à plus de pathologie et de stagnation des individus. La consommation excessive d'alcool, de drogues et de médicaments n'est souvent que le signe de contextes protectionnistes devenus abusifs.

• Du médicament au thérapeute

Il est essentiel d'apprendre à se calmer en s'initiant à la culture de la coopération, car même les médicaments et les pacificateurs ont leurs limites ! En effet, le thérapeute lui-même peut arriver à ne plus être efficace, le thérapeute devenant la « pilule » incarnée. Le patient ne prend plus de médicaments, mais il ne peut se passer de son thérapeute : l'un comme l'autre ne sont plus libres.

Dans un contexte de responsabilité, la personne soucieuse de préserver son autonomie sait qu'il lui appartient de se contrôler, avec ou sans médicaments. Elle doit alors miser sur des ressources impossibles à planifier puisqu'elles relèvent de l'auto-organisation naturelle qui permet l'émergence de nouvelles idées chez le sujet.

Il ne s'agit pas ici d'être pour ou contre les médicaments ou les thérapeutes. Je veux simplement souligner l'importance de ne plus miser sur un seul remède en s'ouvrant aux qualités émergentes de l'être vivant autonome et mobile. C'est là l'utilité de la rupture, promesse d'une réorganisation possible...

Prenons le cas de Josée, une ex-toxicomane à qui sa mère donnait toute petite des médicaments pour la calmer, avec le résultat qu'on connaît. Elle me rapporte cette scène familiale : de passage chez sa mère, elle la voit s'agiter exagérément sous l'effet d'une mauvaise nouvelle. La mère s'avoue si énervée qu'elle doit prendre son calmant.

Depuis que la règle de rupture a été installée entre elles, c'est à chacune de se protéger de l'autre, sans menace d'abandon. Ce jour de visite, Josée doit s'éloigner de sa mère pendant quelques heures, le temps d'être plus détendue. Par cette situation, elle prend conscience avec soulagement que, contrairement à l'énervement typique de sa période toxicomane, elle est devenue experte à se calmer elle-même. Elle ne mise plus sur des tranquilisants ou sur sa mère pour composer avec ses états émotionnels — ce que sa mère elle-même n'a pas encore appris.

• La victime silencieuse

Une des façons de s'inscrire dans le cycle de la violence est d'agir ou de se comporter en victime silencieuse. Pareil comportement est source de zizanie certaine. Peut-être n'y-a-t-il rien de pire car un parent qui fait la victime silencieuse cause des dégats qui peuvent se transmettre aux enfants. L'enfant qui est sensible tente de deviner la souffrance de son père ou de sa mère pour ensuite se charger de son fardeau, aux dépens de son propre développement.

Quant à l'enfant boudeur, il deviendra le boureau d'un parent qui ne cesse de s'hypertrophier; progressivement, le mur de l'incommunicabilité s'épaissit. Les preuves d'abus s'accumulent d'un côté, celles du sacrifice de soi et du dévouement s'entassent de l'autre. Le dénouement ne peut se faire qu'avec l'aide d'un tiers qui pourra apporter un changement de code relationnel salutaire à tous. Voici une histoire qui illustre bien ce propos.

Tranche de vie 12

Bertrande, la victime silencieuse

Bertrande, 39 ans, avait réussi à conserver un travail d'adjointe administrative pendant une vingtaine d'années, en dépit de ses valeurs dites socialistes et malgré des absences occasionnelles. Un peu pointilleuse (selon son entourage), mais talentueuse et soucieuse de bien faire son travail, elle était très appréciée.

Séparée de son conjoint, elle s'occupe seule de sa fille de 16 ans. Bien que n'en ayant aucun souvenir précis, Bertrande est convaincue d'avoir été abusée sexuellement par son père. Elle souhaite entreprendre une psychanalyse, après avoir été en «traitement» pendant plusieurs années, parce qu'elle n'est pas encore en harmonie avec elle-même. Dès ses premières rencontres avec l'analyste, Bertrande est enthousiamée par l'écoute qu'elle y trouve.

Elle décide de faire le ménage autour d'elle et coupe pour de bon ses liens avec sa famille. Elle informe sa mère qu'elle ne veut plus revoir son père. Même après avoir écarté l'idée d'avoir été sexuellement abusée, elle ne peut oublier s'être sentie méprisée et contrôlée par lui, ce qui la révolte toujours. Elle sait bien qu'elle l'imite encore plus en le méprisant lui, mais aussi tous les siens, mais encore plus, en le rejetant, en lui assénant le même châtiment. Si elle ne le punissait pas de cette manière, ne pourrait-il pas croire qu'il n'a rien détruit?

Malgré la thérapie, ou à travers cette thérapie, elle voit à sauver son intégrité par la violence et le mépris. Sa mère n'a pas su se défendre mais elle, au moins, elle en est capable. Elle rejette donc son père au nom de sa mère comme en son propre nom. Car elle vit encore dans la mentalité du protecteur-contrôleur-abuseur. En fait, c'est la mère qui aurait pu dénouer les relations de contrôle dans la famille mais elle a préféré s'effacer, faire *comme si* rien ne s'était passé…

Le rapport de force n'est plus tout à fait le même entre ses parents. À la maison depuis sa retraite, le père sait qu'il se trouve sur le territoire de sa femme et exerce moins son contrôle sur elle. Dans les moments de tension, les mêmes formes de mépris à l'égard des femmes réapparaissent mais la mère sait s'en défendre maintenant, bien qu'elle vive encore sous la règle du protectionnisme.

Que Bertrande décide de changer ce *pattern* à partir de ses souvenirs d'enfance est un peu ridicule. Après tout, ce n'est pas sa bataille mais celle de sa mère. Mais Bertrande ne parvient pas à quitter ce monde du «qui a tort et qui a raison».

Si, par un malencontreux hasard Bertrande était victime d'un acte criminel et constatait qu'elle a droit aux services de réhabilitation d'un programme d'indemnisation gouvernemental, ce serait d'autant plus difficile pour elle de se réhabiliter par ce qu'elle serait enfin reconnue «objectivement» en tant que victime.

Elle pourrait alors exiger réparation auprès de ceux qui joueraient les sauveurs objectifs en fonction de tout ce qu'elle a subi auparavant.

Advenant le fait que la police, son avocat ou le juge ne fassent pas leur travail correctement, selon son jugement à elle — le protecteur devenant un mauvais justicier —, il y a de fortes chances qu'elle se sente encore plus fortement victime de son sort. Si elle ne pense alors qu'à se venger et à prouver ses droits, elle sera encore bien loin de sa vraie réhabilitation.

Malgré des traitements sans fin, il se peut qu'elle ne parvienne jamais à ne plus jouer le rôle de victime dans ses rapports quotidiens avec les autres.

• Toit et nourriture

Au milieu des années quatre-vingt, j'ai observé avec beaucoup de soulagement l'ouverture, à Montréal, de centres de crise avec hébergement pour les personnes se présentant dans les urgences sans aucune autre possibilité de logis que l'hôpital. Auparavant, mon diagnostic pouvait donner accès à un toit et à de quoi manger ! J'ai souvent eu l'impression de ressembler aux comptables qui font dire ce qu'ils veulent à leurs chiffres...

Selon le contexte d'évaluation et d'intervention, un clinicien peut en effet mettre en valeur tel ou tel symptôme chez le sujet qu'il observe avec les conséquences qui s'ensuivent. Je trouvais donc très difficile de refuser le gîte à un patient parce que j'aurais interprété ses symptômes de telle sorte qu'il se retrouve à la rue.

Comme citoyenne, je serai toujours en faveur de la décentralisation vers la communauté de l'aide aux démunis. La concentration de l'aide au niveau étatique a vidé la maladie et la misère de leur sens. Dans cette mentalité centralisatrice, les dirigeants politiques en arrivent même à être perçus et à se croire les protecteurs directs des individus en difficulté, se substituant ainsi aux aidants naturels.

Au Québec, nous avons déjà vu une juge du Tribunal de la jeunesse «envoyer» une de ses pupilles à la ministre de la Santé et des Services sociaux, parce qu'elle n'arrivait pas à lui trouver une place dans un centre adéquat !

Dans leur logique disjonctive, les dirigeants ont anéanti les réseaux des aidants naturels, toujours fragiles mais beaucoup mieux adaptés aux besoins du moment. Ils les ont remplacés par des réseaux d'aide officiels et surspécialisés, caractérisés par leur rareté et des critères d'admissibilité de plus en plus exclusifs. Et pour en arriver à obtenir ces services dits de très haute qualité, mais virtuellement inaccessibles, il n'y a pas d'autre choix que de devenir tricheurs, malades et misérables.

Nous avons ignoré l'unité d'esprit et le niveau logique entre les besoins réels et les moyens thérapeutiques et économiques, pour aboutir à une aide quasi inexistante. Le protecteur pourra-t-il continuer à susciter des attentes qui deviennent elles-mêmes sources de frustration et de maladie?

La décentralisation est la transformation du modèle hiérarchique en celui de l'«hyperarchie[25]». Elle fait appel à la notion d'accès à l'information. Tous possèdent ou peuvent avoir l'information qui leur est nécessaire pour développer leurs projets, celle-ci n'étant plus réservée aux dirigeants. C'est la culture de l'Internet et de l'Intranet. Ce n'est plus la formation de petits clones du modèle hiérarchique à des niveaux divers.

Tranche de vie 13

**Le travailleur incompris
qui se maintient malade**

Un travailleur électrocuté qui, depuis des semaines, voire des mois, avertissait son supérieur immédiat des défaillances électriques de sa machinerie ne souffre pas seulement des séquelles physiques de son accident, comme on voudrait le croire. Il en veut à son supérieur immédiat d'être resté sourd à ses avertissements répétés.

On fait donc appel au psychiatre pour confirmer une supposée incapacité de travailler. Il constate que l'homme est révolté et que, s'il ne veut pas retourner au travail, c'est pour d'autres raisons que les troubles invoqués, les symptômes rapportés devenant non crédibles. En conséquence, le psychiatre conclut qu'il est apte à retourner au travail.

Dès son retour en usine, le travailleur se fait une entorse lombaire, dont les signes objectifs sont reconnus par le médecin qui l'examine. Des signes neurovégétatifs mixtes de panique et de dépression apparaissent. On lui fait passer maintes évaluations. Il se sent de plus en plus méprisé — n'a-t-il pas tout donné à la compagnie depuis quinze ans ? En raison d'un état dépressif résistant aux traitements, il est finalement évalué comme inapte au travail.

Incapable désormais de travailler, les «preuves» de sa maladie lui permettent d'obtenir une allocation d'invalidité de la CSST pour subvenir à ses besoins. Tout ce qui lui reste à faire maintenant, c'est d'attendre sa retraite pour enfin peut-être surmonter sa révolte et ainsi s'autoriser à recouvrer la santé.

Dans ce cas-ci, le problème est constitué autant des séquelles biopsychologiques consécutives à l'électrocution qu'à un sentiment d'injustice lié à l'attitude de l'employeur, lequel nie sa négligence et sa responsabilité puisqu'il craint lui-aussi d'être abusé par cet employé révolté.

Pense-t-on vraiment qu'un psychiatre peut, après seulement une heure d'entrevue avec le travailleur, en arriver à des conclusions et à des recommandations qui permettront aux parties concernées de gérer un problème dont les ramifications sont multiples ?

Le cadre même de ce genre d'évaluation empêche tout travail de coopération. C'est l'escalade des preuves. Abordé sous cet angle, le problème devient tout simplement insoluble. Dans un tel climat de méfiance et de judiciarisation des problèmes, tous ne peuvent qu'y perdre, corps et âme ! La coopération n'est pas une vertu ; elle est un mode de fonctionnement en dehors duquel on ne peut que se victimiser, même légalement...

3.2.2 Insécurité affective

Chez l'être humain, la vulnérabilité reliée à l'attachement est au centre de sa souffrance et de son bonheur. Sans rien vouloir changer à ce qui a été dit sur le sujet, je veux cependant proposer une façon plus simple de comprendre l'attachement, à la lumière des théories de l'information.

Nous avons abordé, dans le deuxième chapitre, la dimension technique de la communication humaine, et je suggérais de considérer le canal affectif comme une composante technique, plutôt que pragmatique, de l'information.

Quel est donc ce canal qui facilite la circulation d'une information pertinente entre deux sujets et rend la communication efficace ?

Dans les quelque deux cents modèles de psychothérapie qui existent, quels facteurs font qu'une thérapie est plus efficace qu'une autre ?

Deux sont essentiels : l'assurance personnelle de l'intervenant lui-même ; la qualité du rapport entre l'intervenant et son patient, lequel doit permettre des échanges sur le plan émotionnel[26].

Dans un excellent article résumant une série d'études sur le processus d'*empowerment* au Center for Research and Education in Human Services, les auteurs Lord et Hutchison[27] décrivent les résultats d'une recherche auprès de 24 femmes et 17 hommes ayant connu des situations pénibles sur une longue période, à cause d'un handicap physique, d'une maladie mentale ou de la pauvreté.

Deux aspects ressortent : 1^0 c'est à l'occasion d'une crise ou d'une période de transition qu'une bonne partie des sujets ont repris leur pouvoir d'action ; 2^0 la majorité d'entre eux s'étaient sentis rejetés, méprisés ou contrôlés par les services sociosanitaires et bureaucratiques, suppposés avoir pour mission de leur venir en aide. (Sauf en de rares occasions où le professionnel avait su s'impliquer auprès d'eux sur une base personnelle et leur donner un support réel.)

En général, les intervenants craignent cette implication personnelle à cause des gestes répréhensibles qu'elle pourrait susciter. La majorité d'entre eux ont donc appris à garder un certaine distance avec leurs patients. Ainsi sont-ils presque sûrs de ne pas être blâmés. Une distanciation excessive représente moins de risques qu'un excès d'implication.

Dans tous les domaines de la santé mentale, la formation cherche à sensibiliser les intervenants aux aspects relationnels du métier, mais le mouvement des dernières années sur l'*empowerment* nous laisse croire que les outils relationnels qui leur sont enseignés ne leur apprennent pas à se protéger eux-mêmes, ni à confirmer le pouvoir d'agir de leur patient, à court et à long terme. C'est pourquoi cette notion technique de canal affectif m'apparaît des plus pertinentes, car elle ouvre la porte au rôle de tiers inclus dont parle Le Moigne.

Pour qu'une communication soit efficace entre deux personnes soucieuses de préserver leur autonomie respective, le canal affectif doit être ouvert. C'est uniquement par ce canal qu'elles pourront arriver à se parler entre «esprits», métacommuniquer sur leur relation et se confirmer dans leur existence comme des êtres uniques. Si un processus de victimisation est déjà installé entre les deux parties, cette métacommunication ne peut se faire qu'à l'aide d'un tiers.

Même quand le canal affectif est ouvert, il peut être utilisé de façon peu efficace, si on n'est pas simultanément et constamment conscient de l'autonomie de chacun. Il est malheureux que ce canal ne serve souvent qu'à faire agir l'autre selon son entendement, plutôt qu'à le confirmer dans sa capacité d'agir.

En principe, le canal affectif est soit ouvert, soit fermé. Il peut être ouvert sans être constamment «occupé» mais, au moment d'un échange, il est alors utilisé à sa plus haute efficacité. S'il semble ouvert parce que le récepteur ou l'émetteur font *comme si* il était ouvert, la situation portera à confusion et fera souffrir les protagonistes, comme on l'a vu dans les tranches de vie du premier chapitre sur les *borderline* et les bureaucrates.

L'ouverture optimale du canal n'est possible qu'à partir du moment où les deux parties sont prêtes à se confier l'une à l'autre en toute honnêteté. Pour ce faire, il faut avoir accepté sa vulnérabilité et avoir appris à se protéger par la mobilité, c'est-à-dire en étant capable de rompre momentanément la relation.

Le parent d'un nouveau-né, par exemple, ne pourra ouvrir le canal affectif que s'il accepte sa propre vulnérabilité, en même temps que celle de son petit. Pour maintenir le canal ouvert de façon optimale et ne pas «s'immoler» à la cause parentale, il devra voir à garder sa mobilité en évitant de ne compter (au détriment d'autres rapports) que sur son rapport privilégié avec son enfant, fragile et attachant. On peut rester parent à vie, mais on ne peut pas être en crise ou victime toute sa vie sans perdre son intégrité.

C'est en prenant sa place qu'on peut porter un regard intéressé et empathique sur la détresse de l'autre, et devenir curieux des solutions qu'il pourra trouver, sans chercher à être son agent, car il a sa propre place à prendre.

À propos du canal affectif, Milton Erickson[28] parlait du processus relationnel qui consiste à être sous hypnose, sans hypnose. Plus précisément, pour que le canal soit utilisé à sa pleine capacité, il ne s'agit pas de chercher à hypnotiser l'autre, mais à s'hypnotiser avec l'autre.

L'hypnose, comme aimait à la décrire David Spiegel père[29], est le fait d'être à deux endroits en même temps. Lorsque le canal affectif est ouvert, on ne fait pas que simplement ressentir ce que l'autre ressent, mais on veille à rester avec l'autre et avec soi, présent à la relation.

Pour ma part, lorsque je m'entretiens avec un patient et les siens, je sais que je ne suis pas affectivement présente si je m'ennuie ou si je suis tendue. C'est la même chose pour eux. Il se peut aussi que le patient soit méfiant et pas réceptif à ce qui s'exprime, tant sur le plan verbal que non verbal. Ou que moi-même, je veuille l'abandonner ou le condamner, peu importe la raison.

Comme je sais que je ne peux rien gérer par des moyens qui vont à l'encontre du respect de son autonomie, je n'ai pas à lui dicter ce qu'il doit penser ou dire.

Par contre, ce que je ressens est une information clé et m'amène à faire une pause, car rien n'est plus épuisant qu'un canal mal utilisé. Je ne veux pas faire semblant, faire *comme si* je lui portais intérêt.

Je vois à ma fatigue, en proposant une rencontre ultérieure avec d'autres personnes de son entourage, ou bien avec les mêmes (à eux tous d'en juger). Ou encore, la rencontre se poursuit après cet arrêt, mais avec une utilisation maximale du canal affectif.

Pour les parties concernées, il est toujours difficile de savoir les raisons d'une mauvaise utilisation du canal affectif. De là l'utilité d'un tiers inclus, médiateur ou urgentologue, pour recanaliser l'information ou mettre fin à la relation, dans un but d'autoprotection.

Le protecteur, dans sa logique disjonctive, croit à la nécessité d'une abnégation totale de sa part pour «s'ouvrir» à l'autre. Au point où il n'ose plus écouter son protégé (actuel ou éventuel), pour ne pas être pris avec un problème de plus sur le dos — sentiment qui empire avec l'âge et l'expérience.

Dans le cas de plusieurs patients, le besoin d'un contact affectif est associé à la crainte de l'abandon par l'autre. Les psychanalistes ont appelé cette peur la névrose d'abandon [30]. La personne qui crie sa souffrance, et donne à penser qu'elle va presque en mourir, n'a peut-être jamais vraiment été écoutée ou n'est plus entendue parce qu'elle s'est habituée à percevoir les autres comme des sourds et à leur donner ce rôle.

On peut comprendre alors qu'elle parte de la prémisse que les autres ne veulent rien savoir de sa douleur. Au lieu de s'apaiser avec l'aide qui s'offre, elle s'évertue à prouver, avec des haut-parleurs s'il le faut, à quel point elle en est affligée. À la longue, peut-être apprendra-t-elle que l'aidant veut travailler avec elle, à son propre rythme...

• La maladie des multiples IN

Il y a ces personnes qui cherchent à performer afin de ne pas ressentir leur propre vulnérabilité. Mais il arrive un temps où ces hyperfonctionnels deviennent épuisés au point de devoir s'arrêter pendant plusieurs mois. Comme psychiatre, c'est chez ces derniers que j'ai observé les épuisements les plus dramatiques.

Ma tâche est double. Elle consiste à amener l'hyper-fonctionnel à accepter son état, sans culpabilité, et à solliciter la coopération de son entourage en vue de modifier ses valeurs et ses habitudes. Plus souvent qu'autrement, la thérapie n'est pour lui qu'une autre voie d'évitement. Il pense qu'en comprenant l'origine de son mal, il se sentira mieux. Il n'est pas toujours disposé à recevoir l'information que contient le présent, et donc à se donner un contexte relationnel sain.

Ces patients, il est vrai, changent difficilement d'habi-tudes, tout comme ces assureurs que ces maladies de l'épuisement «énervent» au plus haut point. Tous souffrent d'activisme en croyant qu'une solution rapide, fût-elle inadéquate, est plus valable qu'une évaluation rigoureuse du problème, dans une mentalité de coopération.

J'ai nommé cet état pathologique et souffrant, la maladie des IN (maladie indéfinissable ou incroyable, symptômes invisibles, traitement inexistant ou état maladif intraitable, contexte d'incommunicabilité) pour accepter mon impuissance lorsque j'étais confrontée à un tel malade. Avec la maladie des multiples IN, les données ne sont malheureusement que subjectives. Il n'y a pas ou peu de signes objectifs permettant de comprendre cet état débilitant. Comme cette maladie comporte de nombreuses manifestations, elle fait appel à plusieurs spécialités : rhumatologie, oto-rhino-laryngologie, médecine interne, neurologie, psychiatrie.

Ce que tous les patients affectés par la maladie des multiples IN ont en commun, c'est la sensation d'une fatigue dévastatrice et la perte de leur capacité à faire des projets. La fatigue (généralisée et persistante) et la perte de concentration peuvent s'accompagner de vertige labyrinthique (perte d'équilibre même au repos), d'acouphènes (bourdonnements ou tintements dans les oreilles), de fibromyalgie (douleur et faiblesse musculaire), ou encore, d'un spasme myofacial. Et c'est sans compter plusieurs symptômes psychiatriques qui peuvent s'ajouter au tableau. Le traitement, quant à lui, comporte trois volets :

• Le patient doit changer d'attitudes et de valeurs : il ne peut plus faire partie de la logique des «forts». Il doit adhérer, avec l'implication de son entourage, à des valeurs d'autonomie qui prennent en compte sa vulnérabilité.

• Une possible médication aux antidépresseurs, s'ils se montrent efficaces. Toutefois, ces médicaments ne seront pas d'une grande utilité s'ils ne sont pas joints à une mentalité d'autogestion, d'autoprotection et de rééquilibrage des systèmes en cause. L'intégration de la notion de respect de l'autonomie dans les habitudes de vie et les organisations amènera inéluctablement le sujet à se considérer comme un être vulnérable, responsable et capable de se protéger en toutes circonstances.

• Une période de rééducation est essentielle. La reprise des activités doit être progressive, selon les limites individuelles. On n'insistera jamais assez sur la nécessaire mise en place d'un contexte de coopération afin que la maladie ne se prolonge pas indéfiniment. Plus la maladie est longue, plus le retour à la santé est difficile.

D'ordinaire, les symptômes indéfinissables se résorbent si la coopération entre les partenaires est maintenue ; autrement, ils persistent sans jamais être plus clairement définis.

Cette digression sur les maladies des multiples IN nous renvoie à l'utilisation maximale du canal affectif. Si nous ne pouvons donner de nom à certaines maladies, nous risquons d'avoir des rapports *comme si* — ce qui est encore plus souffrant pour le patient, les proches et les intervenants concernés.

Cette souffrance accrue, générée par un rapport *comme si*, est aussi souvent à l'origine de tentatives de suicide chez les amoureux éconduits. Quand je rencontre un amoureux désespéré, je trouve essentiel de faire venir l'autre partie pour voir s'il y a fermeture réelle ou fermeture *comme si* du canal affectif.

C'est toujours avec surprise que je constate une mauvaise utilisation de ce canal par les deux partenaires — pour de multiples raisons, dont la principale est la menace d'abandon ou de suicide.

Les amoureux confondent souvent le canal affectif avec le contenu, troublant et bouleversant, de l'amour. Dès le début de leurs dissensions, ils ont tenté de se contrôler mutuellement par les mécanismes usuels. Le rôle de l'urgentologue est de les aider à distinguer le canal affectif de son contenu, en leur faisant comprendre qu'ils ont tous deux la capacité de l'ouvrir ou de le fermer, et qu'une fermeture ne remet pas en question leur capacité d'aimer.

On devrait pouvoir fermer un canal affectif sans acculer l'autre au suicide ou à l'anéantissement. Reconnaître la nature autonome de chacun, dès le début d'une relation, nous rend alors inaccessible au contrôle et à l'amour forcé.

• La rupture

Dans toute association, la partie la plus importante du contrat n'est-elle pas celle qui concerne la rupture, parce qu'elle permet de se dissocier d'un mauvais partenaire ou d'une affaire désavantageuse ? Liée, en fait, à la notion de canal affectif, la rupture est une composante technique de la communication interpersonnelle, qui protège du rejet, de l'abandon et de la disqualification.

En fermant le canal affectif par une rupture indéterminée, de façon temporaire ou permanente, on se protège d'une relation nuisible ou qui commence à menacer notre intégrité. Par la rupture, on peut sortir de la relation pour en clarifier les limites, après une situation difficile ou problématique, tout en acceptant de ne pas pouvoir s'entendre dans le moment présent ou dans le cadre relationnel actuel.

Les règles d'une relation s'installent dès les premiers contacts. Milton Erickson [31] avait exprimé ses vœux de bonheur à deux étudiants qui convolaient en justes noces en leur disant : « Surtout ne vous changez pas l'un pour l'autre. »

Pour ma part, j'aime prévenir qui veut m'entendre :

• Que vos valises soient toujours prêtes si, comme adultes, vous partagez le même territoire.

• Apprenez à connaître l'autre et non à le changer ; voyez à ce qu'il en soit de même pour lui.

• Attention aux thérapies qui auraient pour but de vous changer, plutôt que de vous aider à voir, en même temps, à votre intérêt et à celui du groupe.

• Ne changez pas les règles relationnelles de façon unilatérale ; donnez au thérapeute le rôle de tiers inclus.

• Rien n'est plus pénible que d'attendre la mort de l'autre pour mettre fin à une relation destructrice. Vous risquez de faire mourir tout le monde autour de vous ou d'y passer vous-même!

• Il ne faut pas laisser une relation se détériorer mais y mettre fin avant même d'avoir la preuve qu'il n'y a plus rien à faire.

• Ne montez jamais de «dossier» sur le cas de votre conjoint ou de votre associé. La rupture ne sera plus possible et vous vous enliserez dans un processus sans fin d'accumulation de preuves.

• L'expression des émotions

L'humain est aussi un être d'émotions. Qui sait intégrer cette dimension dans son quotidien est beaucoup plus heureux que celui qui l'ignore. Cette quête d'intégration des émotions explique sans doute l'intérêt actuel pour les médecines douces. Il faut laisser la place aux émotions mais il ne faut pas se laisser submerger par elles. Il s'agit de découvrir comment...

Il est bien connu que les maladies psychosomatiques ont pour cause première une mauvaise gestion de leurs émotions chez les personnes qui en souffrent. Bien d'autres pathologies en sont issues : troubles dissociatifs, comportements émis en dehors du champ de la conscience, sentiments de déréalisation ou de dépersonnalisation, etc.

Les symptômes hallucinatoires, même d'origine psychotique, surviennent lors d'émotions conflictuelles ressenties par le sujet. La majorité des psychothérapies sont d'ailleurs orientées vers la découverte de notre monde émotionnel.

Dans le processus de «retrouvailles» de ses émotions, l'erreur la plus courante consiste à tenter de retracer dans son passé les faits qui expliqueraient nos troubles émotionnels actuels, notre isolement ou nos gestes antisociaux. Tenter d'expliquer pourquoi on a des problèmes ne nous apprend pas à vivre avec sans chercher à faire de victime ni en devenir une soi-même.

Le passé ne se répare pas. On ne peut que reconnaître les pertes encourues. Le présent se bâtit en regard du passé, mais surtout de l'avenir, et d'autant mieux si l'on prévoit que les jours qui viennent seront meilleurs que ceux, si pénibles, que nous avons connus. Il faut pour cela se doter d'un environnement qui favorise les choix personnels et l'acquisition d'habitudes permettant l'écoute tant de sa voix intérieure que des besoins ressentis et exprimés par les autres.

Il est utopique de croire à une société qui ne ferait plus de victime. C'est en favorisant la mobilité et l'autoprotection de ses membres qu'une société parviendra à maintenir des contextes de vie équitables, pour presque tous ses membres...

Il y aura toujours des victimes en processus de réorganisation. Ce qui est sûr, c'est que celles-ci ne pourront pas se réorganiser dans une société de sauveurs. Dans une société où les chefs promettent un monde meilleur, il n'est pas étonnant que le nombre de suicides augmente, la priorité n'étant pas donnée à l'autonomie, à l'autoprotection et à la mobilité de chacun.

3.2.3 Insécurité sociale

La zone de vulnérabilité sociale d'une personne relève de son appartenance à un groupe familial ou social particulier. Il est difficile en effet de bénéficier d'une marge d'erreur appréciable quand on appartient à un groupe qui est mal perçu du reste de la société. Ou si l'on doit, pour être accepté dans un groupe, taire son appartenance à un autre groupe.

Je pense ici aux enfants qui doivent dénoncer un de leurs parents pour abus physiques ou sexuels. Dans sa perspective protectionniste, la société tolère mal les victimes. Elle les met dans une situation très difficile car elle aime mieux les prendre à charge que de développer des structures flexibles leur permettant de quitter leur position de victime.

D'habitude, nous nous protégeons de la souffrance que nous inspire une victime en la blâmant, justement, d'être une victime, ou en nous distinguant de son groupe ou de sa culture.

On devrait permettre aux victimes d'inceste, par exemple, de demander l'aide d'un tiers inclus sans être tenu de dénoncer le coupable jusqu'en cour. La même chose pour un conjoint «séquestré» dans un rôle de victime; son partenaire devrait être tenu de lui venir en aide.

Il est possible que le responsable de la séquestration domestique ne se rende pas compte de ses abus envers son conjoint et donc qu'il refuse d'aider son conjoint et surtout de consulter un tiers.

Il est condamnable de faire le sourd auprès d'une personne en détresse et de disqualifier ses plaintes. L'esclavage, même déguisé sous une forme légale, est inacceptable et disparaîtra quand il sera devenu impossible de se maintenir dans un rôle de victime… ou de bourreau.

Mais c'est à la victime qu'il revient d'abord de se faire aider pour sa propre protection. D'où l'importance de la flexibilité de la structure relationnelle et organisationnelle.

3.2.4 Insécurité culturelle

La zone culturelle est similaire en bien des points à la zone sociale. Cependant, avec l'ouverture des frontières entre les peuples, cette zone prend un relief nouveau. Chaque groupe culturel veut réaffirmer son identité tandis que le métissage des cultures rend cette affirmation culturelle fort délicate.

L'être humain est par nature social. Il s'intéresse à sa communauté. Ses intérêts diversifiés l'amènent à établir des réseaux à travers le monde. Son esprit d'entraide, corollaire de son désir d'autonomie et d'interdépendance, se manifeste d'abord envers ses proches, bien sûr.

On peut penser que la dimension communautaire remplacera en bonne partie le besoin d'identité nationale et culturelle. La nation est à la fois un territoire trop grand et trop petit.

Il est plus difficile d'ignorer la souffrance qu'on côtoie que celle qu'on peut faire disparaître en fermant le journal ou le téléviseur. Avec le surendettement des pays et la mondialisation, un nouvel ordre communautaire émergera probablement de la décentralisation gouvernementale, reléguant aux oubliettes le pouvoir des protecteurs...

Mais on en est encore, quant à la décentralisation, au discours «politiquement correct».

3.3 Contextes de gestion de problèmes

C'est à partir de mon expérience de psychiatre urgentologue que j'en suis venue à me donner des conditions de travail de plus en plus appropriées à mon objectif premier : ne pas nuire à celui qui me demande de l'aide et l'amener à se donner un contexte de gestion des problèmes favorable à sa santé et à celle des siens, à court et à long terme.

Je donne ici des recommandations générales, une liste de principes avec leurs corollaires, et les étapes spatio-temporelles à suivre pour l'urgentologue qui doit intervenir dans un problème relationnel et organisationnel. Ces propositions sont loin d'être définitives et pourraient être modifiées. Je suggère donc au lecteur de faire sa propre liste de recommandations, selon les milieux dans lesquels il évolue.

• Rapidité d'implication

Nous l'avons déjà dit, c'est dans les premiers moments de la rencontre que s'installent les règles relationnelles. Il est donc essentiel d'avoir déjà réfléchi aux valeurs, comportements et aspirations de la coopération, pour les distinguer de ceux qui entourent la victimisation.

Les repères subjectifs que nous avons appris à reconnaître nous aident alors à ne pas nous enliser dans le blâme ou la disqualification. Par ailleurs, nous devons toujours garder à l'esprit qu'il nous faut éviter le piège des relations *comme si,* ce qui permet d'orienter le cadre relationnel vers l'honnêteté plutôt que la pseudomutalité.

S'impliquer vraiment signifie qu'il ne faut pas s'en tenir au rôle prescrit, mais prendre sa place et s'engager affectivement.

L'urgentologue doit travailler à la création d'un contexte où la règle du respect de l'autonomie et de la vulnérabilité sera appliquée. Dans un tel contecte, les personnes ne poussent pas les autres à agir pour leur propre bénéfice mais elles s'informent mutuellement de leurs besoins et de leurs vulnérabilités. Chacun devient responsable de ses décisions et des conséquences qui en découlent.

Au point de vue pratique, c'est le spécialiste consulté qui peut définir le contexte relationnel, à cause de sa position supérieure d'expert, en faisant savoir qu'il ne participera qu'à des relations fondées sur la mutualité. Dès les premiers instants, il installe la possibilité d'une rupture ou d'une ouverture vers d'autres systèmes. Il admet son impuissance à régler les problèmes dans la culture protectionniste. Cette étape est essentielle pour en arriver à la mise en place d'un contexte de gestion des problèmes dans la coopération.

L'intervenant prend donc une position symétrique par rapport à ceux qui lui demandent son aide : chacun sera responsable de l'application des règles et des ententes, de la bonne marche du projet et de son réajustement continu. Il ne cherche pas la collusion, la complicité secrète, aux dépens de ceux qui lui demandent son aide. Il ne devient pas non plus leur agent protecteur en s'opposant à certains membres du groupe. En cas de tentative de collusion, toutes les parties concernées devraient être convoquées à une rencontre.

C'est dans son accès à d'autres territoires, à de multiples réseaux de gens qui partagent ses valeurs, que le thérapeute trouvera le soutien nécessaire à son intervention, hors d'un contexte de victimisation. S'il est encore novice, il lui sera plus difficile de reconnaître, le cas échéant, son impuissance à rééquilibrer la relation. Car cet aveu pourrait être interprété comme un manque d'expérience ou de connaissance. Mais il ne faut pas essayer d'aider l'autre, sans avoir préalablement clarifié les erreurs qu'il est possible de faire, et celles surtout que je ne me pardonnerais pas d'avoir faites (les *j'aurais dû* futurs).

• Planifinication de l'intervention

Il nous faut planifier notre intervention dès le début de l'évaluation des problèmes. Cette deuxième recommandation est particulièrement pertinente pour tout professionnel de la santé qu'on consulte pour ses connaissances dans un champ particulier.

Combien d'évaluations se terminent en culs-de-sac !...

En tant que psychiatre dans une urgence, je sais combien il est important d'être appuyée par une équipe compétente apte à poursuivre avec moi le projet commencé avec un patient.

Cette continuité des services signifie que le patient sera en position de faire des choix, une fois sorti de la salle d'urgence. Et que l'urgentologue ne sera pas la seule ressource qui lui permette de retrouver son équilibre. Un urgentologue ne peut survivre que dans un esprit de réseaux. Il doit évaluer le problème en pensant au processus de réorganisation qu'il veut mettre en place et non pas à des solutions inexistantes.

Il ne doit pas se plaindre du manque de ressources mais travailler avec celles qui existent. Malheureusement, il est fréquent que des intervenants fassent miroiter au patient en détresse des ressources qui semblent tout à fait réelles. Ce ne sont que des colporteurs de promesses. Peut-être qu'avec la transformation de notre système protectionniste, en arriverons-nous tous à parler le même langage, et à ne plus voir des malades s'employer à justifier leur besoin d'aide en multipliant les preuves de leur maladie, dans l'espoir d'accéder aux solutions miraculeuses de leurs sauveurs.

Les quelques cas qui suivent illustrent bien l'importance de l'implication de l'urgentologue dans les cas qu'il traite ainsi que la nécessité de bien clarifier les règles relationnelles et d'intégrer la notion de processus dans l'évaluation et l'intervention.

Tranche de vie 14

Daniel, le caractériel ou le phobique

Au cours de la période scolaire, les parents de Daniel observent chez leur fils de 12 ans de sérieux changements de comportement. Ils tentent de l'amener en consultation chez le psychologue mais Daniel ne veut rien entendre. Malgré lui, le sachant vraiment troublé, ils réussissent à lui faire tout de même rencontrer un psychiatre.

La mère de Daniel, qui est bien informée des diverses pathologies mentales, craint qu'il ne souffre de troubles caractériels graves, sinon de cyclothymie. Il est souvent violent en paroles et dans ses gestes, au point que sa mère appréhende maintenant ses colères. À 12 ans, il a presque la stature d'un homme. Ne l'a-t-il pas déjà chassée de sa chambre avec un coupe-papier ?

En fait, que Daniel soit caractériel ou pas n'est qu'une partie du problème. Le plus grave, pour l'instant, c'est que la mère se laisse faire.

Rappelons-nous que ce sont les moyens qui donnent l'orientation du projet, et non le but poursuivi. Les parents doivent d'abord reconnaître que l'enfant qu'ils ont rêvé ne correspond pas du tout à l'enfant réel ! Sinon, ils risquent d'en faire un caractériel et même un caractériel rejeté.

On ne peut pas garder chez soi quelqu'un dont on a peur, même son enfant. Ils doivent dire à leur fils la crainte qu'il leur inspire. Ce dont les parents ne sont pas conscients, c'est qu'ils deviennent eux-mêmes caractériels en cachant leur vulnérabilité et leur crainte à leur fils. Derrière leur rôle parental, ils disparaissent en tant que personne.

L'évaluation psychiatrique les mettait dans un cul-de-sac : Daniel refusait tout diagnostic et tout traitement psychiatrique. Leurs réactions en face des agissements de Daniel risquaient d'aggraver la situation.

Comment le psychiatre pouvait-il dénouer l'impasse ? Il devait accepter d'être perçu, dans un premier temps, comme un professionnel inefficace et ne pas miser sur un traitement pour l'enfant mais plutôt sur les interactions actuelles dans la famille et sur la nécessité pour les parents de rétablir un climat propice à la santé de tous.

Les parents avaient été fort déçus de cette approche qui, à leurs yeux, était simpliste. Mais comme ils n'arrivaient toujours pas à convaincre Daniel de poursuivre un traitement, ils avaient tout de même installé la RRAV en vue de se rendre la vie un peu moins pénible. Daniel avait enfin la marge de manœuvre nécessaire pour parler de ses peurs et obsessions à l'origine de son agressivité. Les parents, quant à eux, avaient exprimé leur volonté de ne plus vivre dans la crainte continuelle d'être agressés par leur fils.

Le traitement de Daniel n'était plus maintenant la seule et unique solution, mais une option parmi d'autres. N'eût été d'un tel contexte de coopération, un traitement imposé sous la menace du rejet risquait de devenir encore plus néfaste pour l'enfant, et lui aurait donné la piètre satisfaction d'en prouver la parfaite inutilité.

Tranche de vie 15

Denis et sa première psychose

Âgé de 23 ans, Denis ne comprenait plus rien dans ses cours. Peut-être avait-il atteint un niveau scolaire au dessus de ses capacités ? Épuisé par le manque de sommeil, il avait commencé à ressentir une présence autour de lui. Loin de l'encourager dans les moments difficiles, cette présence le traitait d'incapable. Denis tentait bien de la faire taire mais cette « personne » l'attaquait de plus belle.

Elle ne le laisserait tranquille, disait-elle, qu'à condition qu'il fasse telle ou telle chose, mais ses exigences n'en finissaient plus. Et le prix à payer pour le privilège d'avoir été « choisi » était de garder le secret, de n'en parler à personne sinon malheur à tous ! En échange, s'il agissait selon ses demandes, elle verrait à le protéger, lui et les siens.

Il va s'en dire que ses parents étaient très inquiets. Denis s'isolait dans sa chambre et négligeait sa tenue. Le plus inquiétant était de l'entendre parler tout seul. Quand ses parents lui avaient suggéré de consulter un médecin il leur avait répondu qu'il n'était pas malade.

Au bout d'un moment, les parents réussirent malgré tout à le convaincre de venir avec eux à l'urgence. Denis avait alors insisté pour qu'on le laissât seul avec le médecin.

Il dit alors au psychiatre qu'il n'avait pas besoin d'aide dans l'immédiat. Celui-ci lui conseilla tout de même de prendre rendez-vous à la clinique externe.

Ce sont ses parents qui m'ont appelée. Ils n'osaient pas se présenter de nouveau à l'urgence de leur secteur. Denis avait fait une crise et désirait maintenant de l'aide. Il disait devenir fou. J'ai demandé que toutes les personnes concernées par l'état de Denis viennent à l'entrevue. En présence de ses parents et de son frère, il avait enfin décrit son monde intérieur et reconnu l'existence de ses peurs. Et ses parents et son frère avaient pu lui dire leurs craintes à son sujet. Ne pouvait-il pas être un danger pour lui-même ou les autres ?

Je n'avais pas eu à faire grand chose pour que chacun prenne sa place. Il avait suffi de les réunir. D'un commun accord, nous avions décidé de nous revoir immédiatement s'il survenait qu'ils aient l'impression d'être en face d'un Denis étranger, irresponsable ou trop pris dans son monde à lui.

J'avais demandé à Denis de ne plus lutter contre cette personne qui le contrôlait mais de s'occuper à des activités simples pour garder contact avec le monde extérieur. C'est lorsque le sujet reprend goût à des projets que son cerveau se rééquilibre. Les neuroleptiques prescrits suffisent rarement à la tâche.

J'ai rencontré Denis une dizaine de fois durant l'année. Au bout de quelques mois, il devint plus fonctionnel et reprit même un travail à temps partiel. Nous avions alors convenu d'espacer les visites.

Un jour sa mère a téléphoné. Elle ne savait pas trop comment lui venir en aide et désirait une nouvelle rencontre de famille. Les parents avaient l'impression qu'ils devaient passer par moi pour rejoindre leur fils, parce qu'ils cherchaient trop à le protéger et que ma présence dans le dossier les faisait se sentir inadéquats en tant que parents. On croit trop souvent qu'un spécialiste sait mieux parler à un malade que les membres de sa famille. Quelle nuisance devient alors ce professionnel, le fantôme de la famille !

Lors de cette rencontre, nous avons donc tenté de clarifier à nouveau la règle relationnelle, à savoir que tous doivent s'informer mutuellement de leurs inquiétudes et de leurs vulnérabilités. Si la mère, par exemple, trouve difficile d'avoir encore son fils à la maison, elle doit lui en parler bien avant d'atteindre sa limite.

Lorsque l'information circule, des idées et des plans émergent. Un sauveur tente toujours de camoufler les réalités conflictuelles ; il a appris à faire *comme si* tout allait bien. Mais pour que l'information circule bien, les membres de la famille doivent estimer l'un et l'autre qu'ils sont autonomes et compétents, le malade y compris. On ne saurait voir ce dernier comme un fardeau qu'il faut soutenir et pousser à agir, tout en le contrôlant subrepticement, ou auquel il faut s'opposer.

• Troubles de personnalité

La place qu'occupent les troubles de la personnalité dans nos évaluations psychiatriques et psychologiques mérite qu'on en discute dans un livre sur le protectionnisme.

À mon avis, ces diagnostics de troubles de la personnalité sont devenus notre grande porte de sortie dans notre approche à double standard moral. Les professionnels qui sont peu experts à dénouer des relations de contrôle ont appris à se protéger en blâmant le protégé ou en le disqualifiant. C'est pourtant à celui qui occupe la position d'autorité qu'il revient de définir la relation.

En continuant son intervention auprès d'un patient qui a été diagnostiqué «troubles de la personnalité», l'évaluateur établit un contexte pathogène. Il devient un «tricheur» dans la relation, car il fait *comme si* il était impliqué.

Ce n'est pas ainsi qu'il pourra développer son expertise dans la transformation de la relation de contrôle en relation de coopération.

La tendance à détecter un trouble de personnalité plutôt que de voir à l'instauration d'un contexte fondé sur la RRAV se répand aussi chez les «profanes», comme l'illustre l'exemple suivant.

Tranche de vie 16

Difficultés interpersonnelles

Il y a quelque temps déjà, une femme de 35 ans m'a consultée pour des *difficultés interpersonnelles.* Elle se disait incapable de maintenir des relations stables. Elle voulait aller au fond de son mal, afin de l'éradiquer et ainsi être en mesure de trouver le partenaire amoureux idéal.

Elle voulait soigner ses troubles de caractère, mais elle désirait aussi pouvoir éviter toutes les personnes qui souffraient des mêmes. C'en était fini pour elle d'être obligée de toujours plaire, comme il en avait été dans le passé avec son père.

Avec chaque nouvel ami, elle s'employait donc à lui faire la preuve de ses troubles de caractère et à lui démontrer que, malgré toutes les thérapies qu'il avait accepté de suivre, il ne s'améliorait pas.

Elle semblait croire pouvoir se défaire de leur contrôle en les analysant et en les humiliant insidieusement, tout en étant persuadée devoir encore une fois partir à la recherche d'un autre partenaire, idéal cette fois.

Elle n'avait pas compris qu'elle devait accepter de décevoir les autres à l'occasion et qu'il est bon, parfois, de rompre afin de maintenir un équilibre relationnel. Peut-être aurait-elle ainsi vu disparaître ses propres troubles... ainsi que ceux de ses partenaires.

> Ce n'est surtout pas en faisant la morale à ses «pères» successifs, ou en tentant de les rééduquer, qu'elle parviendrait à changer sa vie et celle des autres. Ce n'est que dans un contexte de coopération que se dissipent ces excès caractériels.

3.4 Transformation du cadre relationnel

• Implication du protecteur

Tenter d'aider le protégé, sans changer le cadre relationnel dans lequel il est enfermé, est source de grande frustration pour l'urgentologue, et de détérioration importante pour son client. L'urgentologue sait qu'il travaille dans un mauvais contexte quand son intervention doit se prolonger indûment, quand il a l'impression de se répéter, de pousser ses partenaires vers une solution, ou qu'il banalise le problème.

C'est dire qu'il s'est alors approprié le problème en le définissant à sa façon, et qu'il empêche les personnes concernées d'élaborer leurs propres solutions. C'est pourtant bien elles qui auront à en assumer les conséquences !

Quand l'urgentologue impose sa solution, il y a fort à parier que les personnes vont sans cesse revenir le voir, ce «voleur de problème», pour lui prouver que rien n'a été résolu ou le convaincre d'agir autrement en modifiant ses interventions.

Quand une personne est en détresse, une seule rencontre, un seul traitement répond rarement à ses attentes. D'ordinaire, il faut prévoir une certaine période de temps et au moins une deuxième rencontre pour que le processus de changement s'enclenche, et non pas s'attendre à un retournement soudain de la situation. L'être humain retourne vite à ses anciennes habitudes... moins vite si les comportements à changer ont été identifiés.

L'erreur à ne pas faire est de bloquer ce processus par des solutions simplistes : l'hospitalisation du patient, son déplacement vers un autre point de service, un diagnostic de troubles de la personnalité, ou décréter qu'un membre du groupe joue à la victime plutôt que de nommer le processus de victimisation.

C'est en tant que médiateur plutôt que d'agent thérapeutique que l'urgentologue joue le mieux son rôle. Le plus souvent, le patient et son entourage sont enlisés dans des relations de contrôle et tentent de convaincre l'intervenant du bien fondé de tel ou tel traitement pour le malade.

Au XIXᵉ siècle, parce qu'ils ignoraient les effets délétères des bactéries, de grands chirurgiens voyaient avec désespoir mourir leurs patients après une opération pourtant techniquement parfaite. De la même façon, pour un psychiatre, espérer régler un problème sans tenir compte des moyens d'intervention et du contexte relationnel et organisationnel des parties concernées (dont lui-même), est tout aussi risqué que de pratiquer une opération dans un milieu non aseptisé, ou sans recours aux antibiotiques. L'urgentologue doit apprendre à se méfier des «infections» relationelles.

• Période de confusion-information

La résolution d'un problème suppose une période de confusion et de désarroi qu'il est essentiel d'accepter. Le fait d'être momentanément incapable de prendre une décision relève, non pas d'un cerveau malade, mais d'un cerveau en processus d'apprentissage qui intègre de nouvelles données et qui s'adapte à une nouvelle réalité.

Certains perfectionnistes prennent cet état d'esprit — la confusion — pour de la désorganisation permanente. Selon eux, une mauvaise solution vaut mieux que l'absence momentanée de solution.

Pour qu'une solution pertinente émerge enfin, il faut d'abord reconnaître l'existence du problème et devenir réceptif aux informations découlant de son analyse. Durant cette période de confusion-information, il est sage de se limiter aux gestes prioritaires et de déléguer tout ce qui peut l'être.

Il ne faut pas non plus céder au réflexe d'occulter le problème. On aura l'impression de l'avoir éloigné mais il ne fera que s'amplifier.

Souvent, c'est lorsque nous sommes occupés à des activités qui ne sont pas reliées au problème que les trois modes de notre cerveau — émotionnel, synthétique, analytique ou verbal — peuvent enfin « s'accorder » entre eux et qu'il est alors possible de bien évaluer la situation. Pour peu qu'on leur fasse confiance, on éliminera bien des tensions. Cette période de confusion-information est absolument essentielle à l'émergence de solutions adéquates.

• Les retours en arrière

Une personne traumatisée a tendance à recréer la situation de départ dans l'espoir de lui trouver un tout autre dénouement.

Cette démarche, entreprise sans balises, n'entraîne le plus souvent que désespoir et violence. Accepter des pertes plutôt que de se maintenir dans le leurre qu'on pourrait encore jouir des mêmes avantages devient affolant.

C'est le danger des *j'aurais dû* passés, plutôt que des *j'aurais dû* futurs.

• Ne pas être la seule ressource

Comme urgentologue, il importe de maintenir les systèmes ouverts. Sans pour autant refouler le problème vers quelqu'un d'autre, il faut être en mesure de faire place à d'autres ressources, au besoin, et ne pas prétendre détenir le monopole de l'aide.

Quand on fonctionne dans un contexte de coopération, qui suppose un certain apprentissage par essais et erreurs, on s'aperçoit souvent que la solution émerge du problème lui-même.

Les personnes qui veulent à tout prix éviter une des issues possibles (comme la séparation du couple ou un éventuel suicide) sont à la recherche de solutions miracles qui peuvent momentanément régler le problème mais qui risquent d'en entraîner d'autres à long terme, à moins qu'un *acte de Dieu* ne survienne...

Il est possible, bien sûr, d'empêcher temporairement une personne déprimée de se suicider mais que fera-t-elle, lors de la prochaine crise, s'il n'y a pas de sauveur dans les environs? Par contre, si l'on convient avec elle de parler de ses idées suicidaires avant de les mettre à exécution, on lui donne la marge de manœuvre nécessaire pour analyser la situation, pour se comprendre elle-même, et mieux comprendre les contextes dans lesquels elle évolue.

Parfois la thérapie ne fait malheureusement que gommer le problème. Prenons le toxicomane. C'est à lui qu'il revient d'abord de changer ses habitudes. Mais les membres de son entourage doivent aussi s'entendre sur leurs façons respectives de lui venir en aide, tout en se protégeant. Qu'arrivera-t-il s'il y a rechute? Ce sera la catastrophe, et il faut savoir que les rechutes sont fréquentes chez les toxicomanes, comme chez les boulimiques et les obsessifs-compulsifs.

Il est difficile d'établir ses limites quant au comportement indésirable d'un membre de son entourage. Comment faire en sorte que la personne affectée ne s'isole davantage ni n'abuse des autres avec ses excès et son mode de vie? Il faut s'ouvrir à d'autres systèmes, c'est souvent ainsi qu'aparaissent des solutions inédites. On peut montrer sa route à l'*égaré* mais lui seul connaît son propre chemin.

3.5 Mise en place de la coopération

Nous avons proposé une pratique qui s'adresse à l'urgentologue général, tant dans les milieux privés que professionnels. Pour une pratique plus institutionnelle, il serait utile que certains termes soient consacrés afin de favoriser certaines habitudes de coopération dans la gestion des problèmes.

La décision d'installer un tel contexte nous engage à transformer continuellement nos organisations. C'est le reflet d'une préoccupation non seulement de la qualité de nos actes mais de leur pertinence selon les circonstances.

Décider d'abandonner la culture protectionniste ne se fait pas tout seul. Si la direction même de l'institution médicale refuse de s'engager dans cette voie, c'est peine perdue.

Décider de mettre l'autonomie de la personne au centre de nos préoccupations nous force à des changements radicaux, alors même que, dans les organisations gouvernementales, tout est régi selon une mentalité disjonctive.

Dans plusieurs programmes de restructuration, on a fait confiance avant tout au *savoir* des dirigeants, ce qui a trop souvent entraîné des effets catastrophiques et démobilisants pour les divers acteurs du système. Les dirigeants sont probablement les mieux informés des contraintes économiques, mais ce sont ceux qui travaillent sur le terrain qui en savent le plus sur la nature des changements qui s'imposent. Et c'est en aménageant un contexte d'apprentissage — nous en sommes tous au même point — en vue d'une gestion des problèmes dans la coopération que nous pourrons opérer le virage souhaité.

• Rencontre de concertation

En tant que psychiatre, je trouve essentiel de réunir les personnes qui sont concernées par la maladie d'un des leurs. J'appelle cette réunion une rencontre de concertation des personnes concernées, une *RCPC*, acronyme que je souhaiterais pouvoir cocher sur la feuille d'ordonnances, mais pour cela il me faudrait avoir l'accord de toutes les instances hospitalières...

L'expression consacrée dans le milieu est *réunion de l'équipe multidisciplinaire* où les membres de diverses disciplines se réunissent, le plus souvent en l'absence du patient et de son entourage, afin de mettre au point un plan de traitement qui sera par la suite imposé au patient.

Combien de troubles de la personnalité sont alors diagnostiqués !

Parfois le plan est établi avec l'accord du patient et de sa famille mais il comporte des recommandations de traitements qui ne sont pas disponibles ou qui relèvent d'un intervenant dont on n'a pas encore obtenu l'accord.

L'enjeu central de la RCPC réside dans le constat d'impuissance de l'urgentologue à trouver des solutions dans le cadre actuel du problème. L'urgentologue-clinicien doit pouvoir compter sur une équipe qui partage la même mentalité, pour pouvoir alors s'impliquer avec l'assurance qu'il ne laissera tomber personne.

Et s'il demande l'aide de l'entourage du patient, ce n'est pas pour tester leur bonne volonté, mais parce qu'il lui est impossible de se passer d'eux. Il devra même ajuster son horaire au leur, si nécessaire.

L'entourage des patients sabote les solutions auxquelles il n'a pas contribué. Non par mauvaise volonté, mais parce qu'il ne saurait se contenter du rôle d'agent passif qui lui est dévolu.

Comme nous le disions, la première étape de la RCPC consiste pour l'urgentologue à reconnaître simultanément son impuissance et la nécessité qu'il a d'agir. C'est le paradoxe de l'expert.

Il y a un problème et nous devons y voir avec toutes les parties intéressées.

Au début, le fait de ne pas prendre le rôle de protecteur, auquel nos partenaires s'attendent, produit sur eux un effet bizarre. D'où l'importance de ne pas être seul et de faire partie d'une équipe qui nous épaule, ou de trouver dans le groupe une personne qui partage nos valeurs de coopération.

Les personnes qui consultent s'attendent soit à être blâmées d'arriver avec un problème insoluble, soit de recevoir une aide salvatrice méritée, puisqu'elles l'ont tant attendue. C'est souvent le deuxième urgentologue qui pourra installer le contexte de gestion des problèmes et planifier la RCPC, après qu'un premier membre de l'équipe aura souligné l'impossibilité de travailler dans un contexte protectionniste.

Si vous en êtes à votre première rencontre, voyez à énoncer clairement les règles d'autoprotection et de respect de l'autonomie de chacun. C'est le but de la rencontre.

On devra par la suite s'assurer de la bonne utilisation du nouveau code dans les échanges d'information afin de permettre à la personne malade ou en détresse de retrouver son intégrité, en reconnaissant son rôle de coordonnatrice des traitements. Sans ce rappel de la coopération, les victimes peuvent *rechuter* à l'infini.

Dans tous les milieux où j'ai travaillé, je me suis toujours efforcée de m'entendre avec mes collègues de travail sur le fait que je pouvais occasionnellement ne pas les saluer correctement et pousser des soupirs de lassitude. Ils devaient savoir que ces comportements n'étaient nullement des manifestations indirectes d'agacement à leur égard mais les sursauts d'un être humain pas toujours à son meilleur...

Si j'ai été blessée par quelqu'un, si j'ai des choses désobligeantes à lui dire, je m'assure dans les vingt-quatre heures d'en discuter avec lui en aparté. Réciproquement, si une personne a été blessée par moi, elle doit me le dire directement et non pas espérer que je vais nécessairement m'en rendre compte.

Dans la RCPC, si un partenaire est blessé par certains propos, il peut choisir d'en informer le groupe ou quitter momentanément la rencontre pour retrouver son calme, mais personne ne doit se mêler de le protéger. Chacun voit à ses vulnérabilités. Il n'est surtout pas question de les nier. C'est ainsi, par l'application de ces règles, que la relation *comme si* du protectionnisme commence à se dénouer.

Tout ce qui peut être perçu comme une attaque doit être clarifié afin d'enrayer les mécanismes qui pourrissent les relations et qui nous empêchent d'être réceptifs à l'information que contiennent les vrais problèmes. Loin de les provoquer, les parties concernées aussi bien que l'urgentologue s'emploient dorénavant à prévenir les manifestations de blâme et de disqualification engendrées par la frustration et la colère.

Les sentiments d'irritation, de jalousie, d'envie informent celui qui les éprouve qu'il est plus que temps de prendre sa place et de retirer à l'autre tout pouvoir de contrôle.

Il faut aussi présumer des bonnes intentions de chacun. Sa seule présence en fait foi, bien plus d'ailleurs que ses protestations à cet égard. Cependant, si quelqu'un doute de la capacité d'une personne à faire partie de l'équipe, il est essentiel que le tout soit discuté. Sinon certains auront tendance à l'éviter ou à vouloir la contrôler à distance.

L'urgentologue doit insister sur les différences qui existent entre les manœuvres de contrôle et les méthodes de la coopé- ration, et sur la nécessité d'intégration de ces notions dans nos comportements non verbaux.

Il est utile de prévoir au moins une deuxième rencontre : l'apprentissage de la coopération dans la gestion des problèmes prend du temps, même si tous ont décidé de s'y plier.

L'avantage de travailler en coopération, c'est que chacun, tout en étant responsable de ses gestes, peut décider de se retirer s'il n'est pas prêt à en assumer les conséquences. Car il a droit à l'erreur, mais aussi la responsabilité de la corriger quand elle est sienne.

Comme urgentologue, je porte un soin attentif à mes peurs. Je préfère exagérer quant aux moyens de protection que je me donne, que de travailler dans la crainte des réactions du patient ou des membres du groupe. Comme je tiens toujours à éviter le double standard moral, et que je veux laisser à chacun la nécessaire responsabilité de sa protection, je m'efforce de vérifier la façon dont les membres du groupe gèrent leurs peurs dans leur propre milieu.

Bien entendu, je ne tiens pas à ce qu'on me raconte tout. Je veux surtout m'assurer que chacun ait accès à un tiers (qui personnalise la RRAV) et que celui-ci puisse s'accorder avec le milieu. Je vois, par exemple, à ce que les parents (en autorité dans la famille) autorisent leurs enfants à consulter un professionnel, sans y voir une menace de tricherie ou de divulgation des secrets familiaux.

Dans le cas d'un groupe de travail, ou d'une équipe appartenant à une plus grosse organisation, c'est à la direction de donner l'exemple : elle ne doit plus utiliser la peur comme moyen de contrôle et inciter ses membres à trouver un tiers qui les aidera à dénouer le problème.

Il faut s'assurer aussi que les parents ou les chefs d'équipe aient accès à des ressources en mesure de les aider à développer des modes de gestion mieux intégrés.

C'est avant tout la responsabilité des protecteurs, des contrôleurs et des abuseurs de s'engager dans le processus de changement vers la coopération. Les subalternes, les enfants ou les personnes contrôlées n'ont pas l'autorité nécessaire pour changer le code. Ce serait même dangereux pour eux de le tenter, tout en restant sur le territoire de leurs contrôleurs.

Pour quiconque est en autorité, ignorer la demande d'aide d'une personne en position inférieure constitue une faute grave parce qu'il cautionne ainsi un processus de victimisation. Le principal obstacle de la coopération reste l'habitude persistante des humains de contrôler celui ou celle qui n'agit pas comme ils le souhaitent.

Toute personne dans le rôle de protecteur peut subitement devenir un abuseur et ne pas hésiter à utiliser tous les moyens à sa disposition dans le *politiquement*, le *maladivement*, l'*administrativement*, le *thérapeutiquement correct* pour amener l'adversaire à se soumettre à sa volonté.

Dans un contexte de gestion paternaliste, le chef cherche le plus souvent à démontrer les tendances maladives de la *victime*, sans admettre d'aucune façon son rôle dans la victimisation. Il serait pourtant son devoir de mettre fin à ce processus par un nouveau contexte de coopération.

3.6 Principes de la coopération

Afin de ne pas nuire à celui qu'on veut aider, il est essentiel de connaître quelques principes conducteurs. Ce n'est pas dans l'action, mais dans les moments de repos, que nous pouvons le mieux réfléchir aux valeurs qui sous-tendent la culture protectionniste et celles des individus responsables, vulnérables et interdépendants.

Les principes suivants — à connotation judéo-chrétienne mais que voulez-vous, c'est la culture dont nous sommes issus! — seront susceptibles de guider le travail de l'urgentologue, dans un contexte de coopération.

• Ne pas faire aux autres…

Le principe qui consiste à ne pas faire aux autres ce qu'on ne veut pas qu'ils nous fassent nous pousse à l'empathie dans la recherche de solutions valables, tant pour les autres que pour nous-mêmes. En aidant une personne, nous ne faisons que reconnaître la nécessaire interdépendance de tous les êtres humains, mais il ne faut pas oublier non plus de faire en sorte qu'elle puisse se passer de nous à long terme.

La personne que j'aide n'a pas de dettes à mon égard. On est bien loin du sacrifice de soi et du misérabilisme!

Nous ne devons pas traiter les autres avec condescendance ou mépris, en devenant pour eux une source d'aide permanente. Ni non plus abuser des autres en raison des abus que nous aurions subis. Celui qui a été dominé, ou l'est encore, se maintient trop souvent dans un contexte binaire vainqueur/vaincu.

• Pouvoir perdre sa mise

Il est sage de prévoir l'échec éventuel de ses projets, ou les pertes qui pourront s'ensuivre, afin ne pas avoir à se blâmer au cas où les choses n'iraient pas tel que prévu. Si je ne veux pas *perdre mon âme*, je dois évoluer dans des contextes de vie qui permettent les essais mais aussi les erreurs.

Il se peut que j'échoue dans mon entreprise mais je n'ai pas à me sentir inadéquate, ni être à la merci de qui que ce soit et devoir justifier mes actes.

Les gens qui s'éternisent à expliquer le *pourquoi* de tel ou tel geste ne pensent pas nécessairement au *comment* ne pas les répéter. Pour ce faire, il importe notamment de savoir quelles souffrances on veut à tout prix s'éviter. S'il s'agit du sentiment d'étouffement qu'on éprouve dans une relation, il faudra savoir accepter la douleur que cause toute séparation.

Afin d'être en mesure de pouvoir perdre sa mise sans pour autant tout perdre, il faut maintenir son rapport de force par sa mobilité et ses réseaux; trouver des solutions sans vouloir toujours avoir raison; être humble sans jamais se laisser humilier; ne pas dramatiser les pertes sans, par ailleurs, les banaliser; apprendre à faire des deuils; ne plus se comparer, ce qui nourrit l'envie et la jalousie, mais entreprendre des projets qui offrent une marge de manœuvre satisfaisante.

• Ne jamais se maintenir en position de victime ni victimiser les autres

Ce principe nous oblige à reconnaître le genre de relation et d'organisation dans lesquelles nous évoluons. Une personne qui s'assume en tant qu'être autonome et vulnérable sait trouver des contextes où participer à la réorganisation des systèmes.

Elle sait qu'il ne lui sert à rien de s'éterniser dans des organisations qui souffrent de surdité centrale. Si on cherche à la contrôler, plutôt que de victimiser les autres à son tour, elle devient experte à changer de position relationnelle.

• Accepter les conséquences de ses choix

Il faut savoir accepter la perte de tel ou tel avantage qui découle de tel ou tel choix. C'est une question de priorité : on ne peut pas tout sauver !

Quand une femme décide de ne plus se laisser détruire par son conjoint, elle ne peut pas en même temps lui signer un chèque en blanc !

Les deux partenaires doivent plutôt s'engager à ne plus se dénigrer l'un l'autre, et à faire de la sauvegarde de leur intégrité une priorité.

La rupture doit faire partie des choix. C'est souvent elle qui, paradoxalement, offre la meilleure garantie contre l'éclatement du couple et celui de la famille.

L'analyse des troubles du comportement ne correspond pas nécessairement à l'unité logique des efforts faits par chacun pour protéger son autonomie.

Le lecteur pourra, par ses propres observations sur l'unité logique, constater vers où conduit une habitude ou un moyen utilisé dans le but de corriger une situation, et dans quel contexte s'inscrivent les comportements qui ne répondent pas favorablement aux interventions.

Il est impossible de miser sur la coopération tout en revenant, ne serait-ce que le temps de gérer le conflit, au mode autoritaire. Les deux modèles s'excluent mutuellement.

Ou bien on considère le modèle de la coopération comme une utopie et on s'enlise une fois de plus dans le double standard du protectionnisme, ou bien on se donne des conditions d'apprentissage de la logique de coopération, pour enfin stopper le processus de victimisation.

4
Conclusion

L'objectif de ce livre était de provoquer la discussion sur les valeurs du protecteur, lesquelles marquent tous nos comportements et nous empêchent de nous organiser en tant que personne responsable.

Quand il s'agit de gérer un problème dans un macro-système de protégés, il est pratiquement impossible de penser en termes de coopération entre gens responsables. L'écart est grand entre le discours sur les valeurs d'autonomie et l'intégration de ces mêmes valeurs dans l'action, lors de crises...

Il n'y a pas de «bon» ou de «mauvais» code; encore faudrait-il choisir. Car à vouloir appliquer les deux codes à la fois — le protectionnisme et la coopération — on ne fait que déstabiliser les parties en cause. La culture protectionniste allait de soi quand le territoire et la position de tous étaient clairement établis, de façon rigide : protecteur et protégé, dominant et dominé, chef et subalterne. Mais avec l'émergence des valeurs individualistes et la reconnaissance des droits individuels, chacun devient libre et *souverain*, ce qui rend obsolète le rôle du dominant-protecteur. Il nous faut donc maintenant agir dans un esprit d'entente et de respect des règles, afin de nous donner un nouvel ordre social.

Dans les entreprises, on peut prévoir que la participation des travailleurs aux profits et pertes gagnera du terrain, aux dépens de conditions de travail négociées dans l'absolu, sans lien avec les transformations de l'organisation.

En ce qui a trait aux petits ensembles (familles, équipes thérapeute-patient), la coopération doit se fonder sur l'inviolabilité de l'autonomie de l'autre. Comme on ne peut plus contrôler celui-ci, fût-ce pour son bien, on doit donc travailler avec lui dans cet esprit. C'est bien à partir de ces petites unités que la pratique de la coopération se répand peu à peu; mais le moment est venu, me semble-t-il, où — si l'on ne veut pas faire montre de cynisme, voire de malhonnêteté — nous nous devons de déclarer notre refus de maintenir plus avant le système du double standard, et en tant que professionnel de la santé, et en tant qu'urgentologue.

Après vingt-cinq ans de pratique psychiatrique, je suis aujourd'hui convaincue qu'une approche protectionniste rend mes services nuisibles, à long terme. C'est pourquoi j'ai voulu ici sensibiliser le lecteur, d'abord à son rôle d'urgentologue et à l'obligation qu'il a de répondre à une demande d'aide, mais surtout aux gestes à accomplir — et à éviter — afin de remplir au mieux sa mission.

Annexe

Si...*

Si tu peux être épouse et mère sans t'oublier,

Être généreuse sans créer de dettes,

Te donner sans cesser d'être autonome,

Refusant de te changer dans le but de plaire à l'autre ;

Si tu peux aimer

Sans te renier,

Soutenir l'autre dans ses échecs

Et lui laisser le mérite de ses succès ;

Si tu ne mises pas sur l'homme supérieur

Pour prouver ta propre identité,

Mais cherches un partenaire

Avec qui partager rêves et déceptions ;

Si tu peux t'affirmer sans attaquer ni contrôler,

Être humble mais jamais humiliée ;

Si tu reconnais ton pouvoir de confirmer et d'admirer

Qui rend l'autre compétent et heureux d'être avec toi ;

Si tu sais distinguer le dominateur

Toujours prêt à détruire pour gagner

De l'individu autonome et clairvoyant,

Conscient de la vulnérabilité humaine ;

Si tu es curieuse et non pas envieuse,

Si tu sais demeurer toi-même,

Te détacher de tes idées

Qu'elles soient approuvées ou rejetées ;

Si tu résistes à l'envie d'être victime

Et cherches des solutions plutôt que des coupables,

Faisant face à la réalité,

Sans te coincer ni coincer les autres;

Alors ma fille, ma sœur, mon amie,

Tu participes à l'émergence d'une civilisation

Dans laquelle s'épanouiront et évolueront

Nos filles et nos fils

Authentiques, responsables et libres.

---

* Adaptation au féminin du poème de Rudyard Kipling par Céline Robitaille et Suzanne Lamarre.

NOTES

1. Lyman C. WYNNE, I.M. RYCKOFF, J. DAY et S.I HIRSCH, *Pseudomutuality in the Family, Relations of Schizophrenics,* Psychiatry, 21, 1958, p. 205 - 220.

2. C. SLUSKI, *Transactional Disqualification,* Double Bind, 1976.

3. Suzanne LAMARRE et Louise LANDRY-BALAS, *La bonne maman, un obstacle à l'évolution des femmes,* Santé mentale au Canada, Printemps 1980.

4. Salvador MINUCHIN et H. Charles FISMAN, *Family Therapy Techniques,* Harvard University Press, 1981.

5. Martha MANNING, *Undercurrents : A Life Beneath the Surface,* Harper Collins, 1995.

6. J. LAPLANCHE et J.-B. PONTALIS, *Vocabulaire de la psychanalyse,* PUF, 1968.

7. Robertson DAVIES, *The Deptford Trilogy,* Penguin Books.

8. Ludwig VON BERTANLAFFY, *General System Theory,* George Braziller Inc., 1968.

9. Gregory BATESON, *Vers une écologie de l'esprit,* tome 1 (1977) et tome 2 (1980), Éditions du Seuil.

10. Jean-Louis LE MOIGNE, *La modélisation des systèmes complexes,* Afcet Systèmes (Dunod/Bordas), 1990.

11. Je suggère aux lecteurs le livre suivant : Jean-Jacques WITTEZAELE et Teresa GARCIA, *À la recherche de l'École de Palo Alto,* Éditions du Seuil, 1992.

12. Jean-Louis Le MOIGNE, op. cit.

13. Dictionnaire Petit Robert, Paris, 1993.

14. Jean-Louis Le MOIGNE, op. cit., p. 36.

15. Paul WATZLAWICK, John WEAKLAND, et Richard FISCH, *Changements : Paradoxes et psychothérapie,* Éditions du Seuil, 1975.

16. Walter E. DILLON, *Medecine Man; It seemed like a good idea at the time,* Stitches, juin 1996.

17. B. A. KORSZYBSKI est cité dans la plupart des livres de Gregory BATESON et Paul WATZLAWICK. Je recommande, pour mieux cerner cette notion que «le nom n'est pas la chose et la carte n'est pas le territoire», la lecture des «Critères du processus mental» dans *La nature et la pensée* de Gregory BATESON, Éditions du Seuil, 1984, ainsi que *Les cheveux du baron de Münchhausen : Psychothérapie et «réalité»,* Paul WATZLAWICK, Éditions du Seuil, 1991.

18. Paul WATZLAWICK, Janet HELMICK BEAVIN et Don D. JACKSON, *Une logique de la communication,* Éditions du Seuil, 1972.

19. Gregory et Mary Catherine BATESON, *La peur des anges,* Éditions du Seuil, 1989.

20. William WEAVER et Claude SHANNON, *Théorie mathématique de la communication,* Retz-CELP, 1975.

21. Flora Rheta SCHREIBER, *Sybil,* Éditions Albin Michel, 1974.

22. WATZLAWICK, op. cit.

23. Judith LEWIS HERMAN, *Trauma and Recovery,* Basic Books, 1992.

24. Lenore Walker, *The Battered Woman,* Harper & Row. 1979.

25. Philip B. EVANS et Thomas S. WURSTER, *Strategy and the New Economics of Information,* Harvard Business Review, vol. 75, numéro 5, septembre-octobre 1997.

26. Lester LUBOSKY, *Therapist Success and its Determinants,* Archives of General Psychiatry, volume 42, juin 1985.

27. J. LORD, P. HUTCHISON, *The Process of Empowerment : Implications for Theory and Practice,* Canadian Journal of Community, Mental Health, Vol. 12, No 1, 1993.

28. Jeffrey K. ZEIG, *Ericksonian Approaches to Hypnosis and Psychotherapy,* Brunner/Mazel, 1982; Jay HALEY, *Un thérapeute hors du commun : Milton H. Erickson,* Desclée de Brouwer, 1984.

29. Herbert SPIEGEL et David SPIEGEL, *Trance and Treatment : Clinical uses of Hypnosis,* Basic Book, 1978.

30. «La névrose d'abandon est un terme introduit par des psychanalystes suisses (Charles Odier et Germaine Guex) pour désigner un tableau clinique où prédominent l'angoisse de l'abandon et le besoin de sécurité.» J. LAPLANCHE et J.-B. PONTALIS, *Vocabulaire de la psychanalyse,* Presses universitaires de France, 1967.

31. Jay HALEY, *Un thérapeute hors du commun : Milton H. Erickson,* Desclée de Brouwer, 1984.